JN253643

物権法

［第3版］

秋山靖浩・伊藤栄寿
大場浩之・水津太郎
［著］

日評ベーシック・シリーズ

日本評論社

第３版はしがき

2021年（令和３年）４月、所有者不明土地問題（→143頁）への対応を主な目的として、「民法等の一部を改正する法律」（令和３年法律第24号）および「相続等により取得した土地所有権の国庫への帰属に関する法律」（令和３年法律第25号）が成立した。

前者の法律による民法等の改正には、相隣関係・共有に関するルールの改正、所有者不明土地等の管理制度の新設、相続登記等の申請の義務化など、物権法に直接関わるものが含まれている。そこで、第３版では、これらの改正のうち読者が学んでおくべきことを、本文やコラムに反映させた。また、後者の法律は、土地所有権の放棄という物権法のテーマとも密接に関わっており、これにも言及した。

さらに、この機会に、執筆者各自が担当箇所の文章を再点検し、説明を分かりやすいものに改めたり補充するなどしている。

本書のコンセプトや工夫は、初版以来、変わっていない。初版のはしがきの一部を以下に引用しておく。

> これから民法を勉強しようとする皆さんが、最後まで無理なく通読して、物権法についての基本的な理解に達してもらうことである。もちろん、初学者であっても、細かな事項まで記述された分厚い本で最初から勉強するべきだ、という意見もあるだろう。そのような意見に賛同するところがないわけではないが、他方で、物権法の学習を始めた皆さんが、迷宮に迷い込み、物権法の根幹を理解しないまま学習を終えてしまったり、挙句の果てには、分厚い本を途中で投げ出し、物権法のことが嫌いになってしまったりするのは、望ましいことではない。せっかく物権法を学習するからには、その魅力や面白さを存分に味わってもらいたい。著者たちは、そのように考えて本書の執筆にとりかかった。

このようなコンセプトのもとで、本書は次のような工夫をしている。

第1に、あまり重要でないと考えられる部分については叙述を絞るか省略する反面、物権法の根幹に当たる部分については手厚く叙述するなど、メリハリのある構成にした。これにより、コンパクトで通読可能な分量を維持しつつ、読者の皆さんが、制度やルールの細部に目を奪われることなく、物権法の基本部分を無理なく理解できるようにした。

第2に、読者の皆さんの理解を手助けするために様々な工夫を施した。たとえば、複数の抽象的な概念が登場する場面や事例の時系列が複雑な場面など、文章による説明のみでは分かりにくいところでは、図表を多く用いるようにした。また、法律学の学習では、条文や制度が異なっていても、取り扱われる内容が相互に関連していることが多い。そこで、本書内で関連する内容を取り扱っている場合には、「(→○頁)」という参照箇所をこまめに入れることで、離れた所を確認しやすいようにした。

第3に、読者に物権法の魅力や面白さを味わってもらえるよう、叙述の内容も吟味した。制度やルール、解釈論上の問題について、従来とはやや異なった視点からの整理・分析を試みるとともに、コラムで本文中の説明を補足したり発展的な議論を取り上げたのはそのためである。ときにはマニアックすぎる議論なのではないかと感じられるかもしれないが、物権法の根幹を楽しく学ぶという趣旨から、あえて叙述を残したところもある。

読者の皆さんが、本書を開き、そこに封じ込められた物権法の魅力や面白さに触れていただけることを心から願っている。

2022年2月

秋山靖浩・伊藤栄寿・大場浩之・水津太郎

物権法［第3版］

略語一覧

＊本文中、民法については表記を省略している。また、関連法令も含め条文はすべて改正民法（令和3年法律24号）施行後の条文である。

Ⅰ　主要法令名

遺失	遺失物法
仮登記担保	仮登記担保契約に関する法律
刑	刑法
航空	航空法
工場抵当	工場抵当法
鉱業	鉱業法
古物	古物営業法
質屋	質屋営業法
借地借家	借地借家法
商	商法
大深度地下	大深度地下の公共的使用に関する特別措置法
建物区分	建物の区分所有等に関する法律
道運車	道路運送車両法
動産債権譲渡特	動産及び債権の譲渡の対抗要件に関する民法の特例等に関する法律
動産債権譲渡登記規	動産・債権譲渡登記規則
農地	農地法
破	破産法
不登	不動産登記法
文化財	文化財保護法
民執	民事執行法
民訴	民事訴訟法
立木	立木ニ関スル法律

Ⅱ　判例集

民録	大審院民事判決録
民集	大審院民事判例集
	最高裁判所民事判例集
下民集	下級裁判所民事裁判例集
家月	家庭裁判月報
新聞	法律新聞
判時	判例時報

第1章

物権法序説

私たちの生活は、さまざまな物を所有し、それらを利用することによって成り立っている。これらの物について成立するのが、「物権」という権利である。そして、物権が侵害された場合に権利者が何を請求できるか、また、物権を人から人に移転するにはどうしたらよいかなど、物権に関するさまざまなルールを定めるのが「物権法」である。その意味で、物権法は、契約法（債権法）と並んで、私たちの生活を規律する最も基本的な法であるといえる。

この章では、物権とはどのような権利か、物権にはどのような種類があるか、物権の客体となる物とは何かを概観する。

I　物権の意義

1　人の物に対する支配

私たちが社会で生きていくためには、さまざまな形で物と関わらなければならない。たとえば、人は、住宅や電化製品などを所有し、それらを使用して生活している。また、会社は、所有する機械を用いて製品を製造販売して代金を得たり、所有するビルを他人に貸して収益をあげたりしている。

このように物を所有することや物を使用して収益を得ることが安定的に行われるためには、《人が物を支配すること》が法的に認められる必要がある。そこで、民法は、人が物を支配することを、「物権」という権利として構成した。

2　「物を支配する権利」としての物権とその特徴

物権とは、「物を支配する権利」をいう。しかも、その支配が直接性・絶対性・排他性という性質を備えている点が、大きな特徴である。その点で、「債務者に対して一定の行為（行為しないことも含む）を請求することができる権利」である債権と区別される。

Ａが甲土地の所有権という物権を有する場合を例にして（以下ではこれを「設例」と呼ぶ）、債権と対比させながら、物権の特徴を具体的に見ていこう。

(1)　物権の直接性

物権は物を直接に支配する。これを物権の直接性という。設例のＡは、他人の意思や行為を介在させることなしに、甲を自分で使う、他人に貸して賃料を得る、他人に売却するなど、甲を自由に使用・収益・処分することができる（206条）。

これに対して、債権は債務者に対して一定の行為を請求することができる権利であるため、債権の内容が実現されるには債務者の行為を必要とする。たとえば、Ｂの所有する自転車をＣが賃借した場合、Ｃは、Ｂに対して「自転車を使用収益させよ」と請求することができるにとどまり（601条）、自転車それ自体を直接支配する権利は持たない。Ｃの請求に従ってＢが自転車を使用収益可能な状態にしてくれてはじめて（＝債務者の行為）、Ｃは自転車を使用収益することができる。

(2)　物権の絶対性

物権を有する者は、物に対する支配を誰に対しても主張することができる。これを物権の絶対性という。設例のＡは、甲土地を無断で占拠する者に対し、甲土地の所有権の効力として、その不法占拠者を甲土地から排除することができる（物権的請求権。詳しくは→14-24頁）。

これに対して、債権は債務者に対してしか主張することができないのが原則である。これを債権の相対性という。Ｂの所有する自転車をＣが賃借した上述の例でいえば、Ｄが自転車を無断で使っている場合に、Ｃは、自転車の賃借権に基づき、Ｂに対して「Ｄから自転車を取り戻して自分に使用収益させよ」と請求することができるにとどまり、Ｄに対して直接に自転車の返還などを請求することはできない。

(3) 物権の排他性

物の上に物権がすでに存在しているときは、その物権と両立しえない内容の物権が同一の物の上に並存することは許されない。これを物権の排他性という。設例では、Ａがすでに甲土地の所有権を有しているから、甲にＥの所有権が並存することはない。そして、このような排他性という性質から、「１個の物の上に、同一内容の物権は１個だけしか成立しない」という原則が導かれる。つまり、甲土地には、所有権という物権は１個だけ（Ａの所有権だけ）しか存在しないことになる。

これに対して、債権には排他性がない。たとえば、芸能人Ｆが、東京のＧ劇場と福岡のＨ劇場との間でそれぞれ、2022年４月１日18時から21時までステージに出演する契約を結んだ場合には、ＧもＨもそれぞれ、Ｆに対し、「ステージへ出演せよ」と請求することができる権利（債権）を取得する。同一内容の債権が並存するわけである。そして、両債権の間に優劣はなく、どちらの債権が履行されるかは、債務者であるＦの意思に委ねられる。仮にＦがＨ劇場に出演すれば、ＨのＦに対する債権の内容が実現される反面、ＧのＦに対する債権の内容は実現されず、ＧはＦの債務不履行に基づいてＦに対して損害賠償を請求するしかない（415条）。

II 物権の種類

1 物権法定主義

物権は、民法その他の法律に定められた種類と内容に限って認められ、これ以外のものを任意に創り出すことはできない（175条）。これを「物権法定主義」という。たとえば、民法は土地に便益（公道からの出入りを便利にするなど）を提供するために設定される物権として地役権（280条）を定めているが（→

190頁)、土地ではなく個人に便益を提供するための物権は、民法が定めていない種類の物権に当たるため認められない。また、民法の定める所有権は自由に譲渡可能であるから(206条参照)、当事者間で譲渡不可能という内容を所有権に与えることは許されない。

これとは反対に、債権の場合には、私的自治の原則により当事者が債権の種類と内容を自由に創ることができる。

物権法定主義が採用された理由は、次のように説明される。

歴史的に見ると、民法制定前の土地について、所有権の自由を制限するような、身分的拘束などもともなった物権的な権利関係が存在していた。そこで、民法制定に当たり、そのような不合理な権利関係を廃止して、物権を自由な所有権といくつかの制限物権に限定するために、物権法定主義が採用された。

さらに、実際上の理由も重要である。物権は直接性・絶対性・排他性を備えた権利であるため、このような物権を当事者が自由に創り出せるとすると、訳の分からない物権が物に設定されてしまい、第三者が安心して物を取引できない。そこで、物権の種類と内容をあらかじめ決めておく必要がある。しかも、種類と内容が決まっていれば、物権の存在を社会に公示するシステムも容易に構築することができ(種類と内容がバラバラだとこれは困難である)、第三者の取引の安全を保護することにもつながる。

2　民法上の物権

民法には10の物権が定められており、【図表1-1】のように分類される。

(1)　所有権

所有権とは、物を自由に使用・収益・処分することができる物権である(206条)。使用・収益・処分というあらゆる面で物を支配すること、すなわち、支配の全面性を特徴とする。

所有権に関するルールは第8章で取り上げる(→141-182頁)。

(2)　制限物権

これに対して、物に対する支配が所有権のように全面的ではなく、一部に限

【図表1-1】　物権の分類

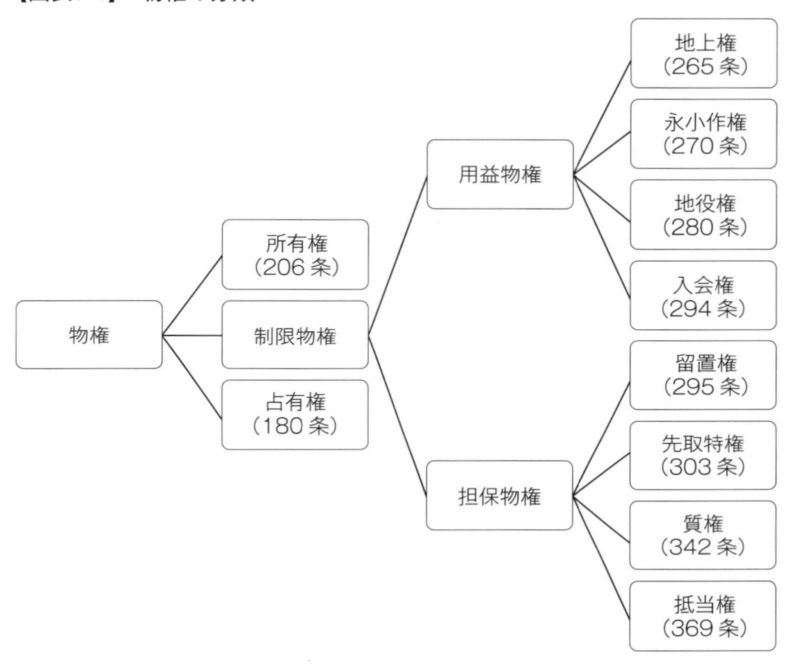

られている物権がある。これらの物権は、他人の所有物の上に成立し、その所有権の権能を制限する効力を有していることから、「制限物権」と呼ばれる。１つの物の上に所有権と制限物権が並存すると、物権の排他性の原則（→３頁）に抵触するようにも見えるが、所有権と制限物権では権利の内容が異なるため、同原則には抵触しない。

制限物権は、その支配の態様に応じて、さらに用益物権と担保物権に分類される。

(a)　用益物権

たとえば、Ａの所有する甲土地に地上権を有するＢは、工作物を所有するために甲を使用収益することができる（265条）。このように、他人の所有する土地を使用収益という形で支配する物権を「用益物権」という。どのような使用収益が認められるかに応じて、地上権（265条）のほか、永小作権（270条）、地役権（280条）、（共有の性質を有しない）入会権（294条）が用益物権として規定されている。なお、用益物権は土地に設定される物権であり、土地以外の不動産（建物など）や動産には設定することができない。
これらの用益物権については、第９章で触れる（→183-196頁）。

(b)　担保物権

たとえば、ＣがＤに対して2000万円を貸したが、Ｄは財産として乙土地しか有しておらず、この債務を弁済していないとする。この場合、Ｃは、乙を差し押さえた上で競売にかけ、その売却代金から配当を受ける形で債権の回収を図ることができる。ただし、Ｃは売却代金を独り占めできるわけではない。ＥもＤに対して4000万円を貸しており、乙の売却代金が3000万円だとすると、ＣとＥは、それぞれの債権額の割合に応じて、売却代金から平等に弁済を受けられるにとどまる。これを「債権者平等の原則」という。その結果、債権額の割合（１対２）によれば、ＣはＤに対する2000万円の債権のうち1000万円の配当しか受けられず（Ｅが2000万円の配当を受ける）、残りの1000万円は回収できないことになる。

これに対して、上の例で、ＣがＤ所有の乙土地に抵当権を有する場合には、Ｃは、この抵当権に基づいて、乙の売却代金から優先的に弁済を受けることができる（369条１項）。その結果、Ｃは、乙の売却代金3000万円から2000万円を優先的に回収することが可能となる（残りの売却代金1000万円はＥに配当される）。このような効果が認められるのは、抵当権という権利が、債権を担保するために、乙を換金してそこから優先的に弁済を受けられるという形態で、乙を支配することを内容とする物権だからである。

以上のように、債権を担保する目的で他人の物を支配する物権を「担保物権」という。抵当権（369条）のほか、留置権（295条）、先取特権（303条）、質権（342条）が担保物権として規定されている。

担保物権の内容とその詳しいルールについては、担保物権法で学ぶ（→NBS『担保物権法〔第２版〕』）。

(3)　占有権

さらに、民法は、「人が物を占有している状態」そのものを保護するために、その人に「占有権」という権利を与えた（180条）。たとえば、絵画を占有（自己のためにする意思をもって物を所持すること）しているＦは、所有権などの本権（物を占有することを正当化する権利）を有しているかどうかにかかわらず、絵画の占有権を取得する。仮にＦがその絵画を他人から盗んでいたとすると、本権は有していないが、絵画を占有していることでＦの占有権が認められる。

民法がなぜ占有を保護したのか、どのような保護が与えられるのかなどについては、第７章で取り上げる（→120-140頁）。

3　慣習法上の物権

社会における取引の発展にともなって、物に対する支配についてもさまざまなニーズが生じてくる。それらの支配の中には、慣習によって一定の権利として承認されるものも出てくる。

たとえば、印刷業を営むＧが自己の所有する印刷機を担保としてＨから金銭を借りる場合に、印刷機にＨのための質権を設定するには、印刷機をＨに引き渡してＨの占有の下に置かなければならない（342条）。しかし、これではＧが印刷機を使うことができず（Ｈが自分に代わってＧに印刷機を占有させることもできない〔345条〕）、Ｈも印刷機を手元に置くことまで望んでおらず、お互いに困るだろう。むしろ、Ｇがこれまでどおり印刷機を現実に占有して使い続けつつ、印刷機を担保としてＨに提供してＨから金銭を借りられたほうが、ＧＨ双方にとって好都合である。そこで、取引界では、「担保の目的で印刷機の所有権をＧからＨに移転する」という内容の物権（「譲渡担保権」と呼ばれる）が、慣習として成立するようになった。

ところが、物権法定主義を厳守すると、このような内容・種類の物権を新たに創設することはできず、社会のニーズに応えられない結果となる。

そこで、物権法定主義の採用理由（→４頁）に照らして、①所有権に対する不合理な制約とはならず、かつ、②権利の内容が明確になっていて、その存在を外部に公示する方法が調っているならば、慣習法上の権利にも物権としての効力を認めてよいと解されている。これにより、上述の譲渡担保権のほか、根抵当権や仮登記担保権が、担保物権の一種として承認されている（現在では、根抵当権については398条の２以下で、仮登記担保権については仮登記担保１条以下でそれぞれ規定されている。詳しくは、NBS『担保物権法〔第２版〕』108-112頁、125-149頁参照)。さらに、判例は、古くから存在してきた温泉専用権（地中から湧出する温泉を排他的に使用・収益・処分できる権利）や流水使用権（河川等からの流水を排他的に使用する権利）といった慣習法上の権利にも、物権と同様の効力を認めている。

Ⅲ　物権の客体

物権が物に対する直接的・絶対的・排他的な支配権であることから、物権の客体とは、支配の対象になりうる物、すなわち、有体物であり、かつ、特定された独立の物であることが原則とされる。

1　有体物

物権の客体は、原則として有体物（85条）でなければならない。有体物とは、空間の一部を占める有形的な存在を有する物のことであり、不動産と動産に区別される。不動産とは土地および土地の定着物を、動産とは不動産以外のすべての有体物をそれぞれいう（86条。なお、金銭は動産であるが、動産とは異なる特殊性を有することについて→22-23頁）。

ただし、例外として、抵当権は地上権または永小作権の上にも成立する（369条2項)、質権は債権にも設定できる（362条1項）など、物以外を物権の客体にすることが認められている場合がある。

物権の客体が有体物を原則とすることから、電気や著作物などの無体物は物権の客体にならない。もっとも、無体物が特別に有体物と同様の取扱いを受けることもある。たとえば、刑法は、電気についても窃盗罪等を認める（刑245条)。また、著作権法は、著作物に著作権という権利を認めて、一定の保護を与えている。

土地の定着物と建物

本文で述べたように、不動産とは、土地および土地の定着物をいう（86条1項)。土地の定着物とは、土地に固定され、取引観念上、土地に固定されて使用される物であり、建物・樹木・敷石などがその例である。

土地の定着物には、土地との関係で、２種類のものがある。

１つは、土地の一部になっている定着物であり、樹木などがこれに当たる。土地の一部になっている（それゆえに土地の所有権に吸収されている）から、樹木自体に独立の所有権が成立することはない（ただし、例外として、樹木自体に独立の所有権が認められる場合がある→114頁）。

もう１つは、土地とは別個独立の定着物であり、建物がこれに当たる。土地から独立しているがゆえに、土地の所有権とは別に、建物自体に独立の所有権が成立する。建物が土地とは別個独立の不動産であることは、不動産登記法が土地と建物で別個に登記簿を設けていること（→78頁）や、土地に設定された抵当権の効力が建物には及ばないこと（370条）などに現れている。

2　特定性

物権の客体である物は、特定していなければならない。物権は直接的・絶対的・排他的な支配権という強力な権利である以上、それが及ぶ範囲は明確にしておくことが求められるからである。

したがって、たとえば、ＡＢ間でＡがＢにビール１ケースを贈与する契約を結んだ場合には、贈与契約が有効に成立し、ＢのＡに対するビール１ケースを引き渡せという債権は発生する（549条）が、どの１ケースかが特定しない限り、ビール１ケースの所有権をＢがＡから取得することはない（不特定物の所有権の移転時期について→43頁）。

3　独立性・単一性

物権の客体である物は、独立かつ単一の物でなければならない。これは、独立かつ単一の物の上に、１つの物権が成立することを意味する。このことから、①１つの物の一部は独立の物でないため、その一部に独立の物権が成立することはない、②複数の物は単一の物でないため、複数の物の上に１つの物権が成立することはない、という原則がそれぞれ導かれる。たとえば、１冊の本には１つの所有権が成立し、この本の10頁分だけに独立の所有権が成立することはない（①）。また、１冊の本と１台のパソコンのそれぞれにつき別個の所有権が成立するが、両者を合わせて１つの所有権が成立することはない（②）。以上の原則を「一物一権主義」という（なお、一物一権主義が物権の排他性〔→３頁〕の意味で用いられることもある）。

それでは、たとえば、一筆（いっぴつ）の土地の一部を売買した場合、買主がその一部につき所有権を取得することはできるか。土地については、不動産登記簿上で人為的に区分された一筆が、１個の土地（物）であるとされる（→78頁）。そうすると、一筆の土地の一部に所有権を認めることは、①に抵触して許されないはずである。しかし、取引界では、一筆の土地の一部を購入して所有権を取得したいというニーズもある。もともと①が採用されたのは、物の一部に物権を認めると、権利関係が錯綜し、また、そのことを公示するのが難しいため、取引の迅速・安全を阻害するからだと説明されている。そこで、このような弊害を回避できるのであれば、①の原則を緩和することが許されてよい。具体的には、一筆の土地の一部を売買した場合であっても、標識を設けるなどして外形上区分していれば、買主がその一部につき独立の所有権を取得することができると解されている（大連判大正13・10・７民集３巻476頁）。

他方で、②についても、取引界において、複数の物の上に１つの物権の成立を認めるだけのニーズがあり、それを公示する方法が確立しているのであれば、原則を緩和してよいと解されている。判例は、ＣがＤから資金の融資を受ける際に、Ｃが所有する倉庫内の多数の動産を１個の「集合物」として捉え、その集合物の上にＤのために１つの譲渡担保権（→７頁）を設定することを認めている。さらに、特別法では、工場とその工場に備え付けた機械・器具その他工場の用に供する物もひっくるめて、１つの抵当権の客体とすることなども認められている（工場抵当２条等参照）。詳しくは、NBS『担保物権法〔第２版〕』20-21頁、134-136頁で学ぶ。

第２章

物権の効力

この章では、物権一般に認められる効力である、物権の優先的効力と物権的請求権を取り上げる。とくに物権的請求権は、物権を保護するための重要な役割を担っている。

I　物権の優先的効力

1　債権に対する優先的効力

１つの物について物権と債権が競合する場合には、物権が優先する。物権は物に対する直接の支配権であり、誰に対しても主張することができるのに対し、債権は債務者に対してのみ一定の行為を請求することができる権利にとどまるのが、その理由である（→2-3頁）。

具体的には、次の２つの場面において、物権の債権に対する優先的効力が認められる。

(1)　物の利用を目的とする債権に対する優先

Ａが自己の所有する自転車をＢに賃貸し、Ｂが自転車を使用していたところ、Ａがその自転車をＣに売却した場合には、自転車の所有権（＝物権）を取得したＣは、自転車の賃借権（＝債権〔601条〕）を有するにとどまるＢに優先し、自転車の返還をＢに請求することができる（「売買は賃貸借を破る」と呼ばれる。なお、厳密にいえば、Ｃは178条・184条に従い、指図による占有移転の方法で自転車の引渡しを受ける必要がある。詳しくは→97-98頁）。

ただし、上の例が自転車でなく不動産の場合には、Ｂは、賃借権の登記を備えると、自己の賃借権をＣにも主張することができる（605条）。①不動産は居住や事業の基盤であり、その賃借人を特に保護する必要がある。また、②登記されていればＢの賃借権が設定されていることは分かるため、その不動産について物権を取得する者の取引の安全が害されることもない。これらの理由から、登記を備えた不動産賃借権は、例外的に、その不動産に物権を取得した者に対しても優先することが認められている（さらに、借地借家31条は、Ｂが貸借したのが建物である場合には、Ｂが賃借権の登記を備えていなくても建物の引渡しを受けていれば、賃借権をＣにも主張できるとして、①の賃借人保護を強化している。建物の引渡しがあれば、Ｂの賃借権が設定されていることをＣも認識することができるので、②の点も確保される。なお、土地の賃借権について→185頁）。

不動産賃借権の特殊な地位

本文で取り上げたように、不動産賃借権は一般の債権とは異なる地位を有している。このことは、たとえば、Ａ所有の甲不動産をＢが賃借しているところ、Ｃが甲を不法に占拠している場面にもあらわれる。

仮に、Ｂが有している甲の賃借権が物権であるならば、Ｂは、物権的請求権（→14頁）に基づき、直接Ｃに対して甲の返還を請求することができる。ところが、民法では賃借権は債権とされているため、Ｂはその権利の実現をＡにしか主張することができない（債権の相対性→2-3頁）。したがって、Ｂは、Ａに対して「Ｃを甲から追い出して自分に甲を使用収益させよ」と請求できるにとどまり、Ｃに対して直接に甲を返還せよと請求することはできない。

しかし、不動産賃借権については、不法占拠などの侵害にあうと賃借人の不利益が大きいことに加えて、物権と同様に扱われている場面も多いこと（本文で述べた不動産賃借権の優先の場面のほか、185-186頁も参照）などを理由として、甲の賃借権それ自体に基づき、ＢのＣに対する甲の返還請求を直接認めるべきではないかが議論されてきた。このような議論を受けて、605条の4は、Ｂが甲の賃借権について対抗要件（賃借権の登記〔605条〕あるいは借地借家10条・31条などの定める対抗要件）を備えた場合には、甲の賃借権それ自体に基づき、Ｃに対して直接に甲の返還を請求することができると規定している（605条の4第

2号)。不動産賃借権の保護の必要性を考慮して、対抗要件を備えた不動産賃借権に物権的請求権と同様の効力を認めたといえる(NBS『債権総論』125頁・NBS『契約法』160-161頁も参照)。

(2) 一般債権(無担保債権)に対する優先

第1章でも触れたように(→6頁)、Dに金を貸したEとFは、Dが金を返さない場合には、Dの所有する甲土地に対して強制執行の手続をとって債権を回収することになるが、その際、EF間には債権者平等の原則が働く。これに対して、Dに金を貸したGが甲に担保物権を有するときは、Gは、担保物権を有さないEF(このような債権者を「一般債権者」という)に優先して、甲から債権の回収を図ることができる(抵当権に関する369条1項等)。つまり、甲について、担保物権を有しているGが一般債権者にすぎないEFに優先する。

2 物権相互間の優先的効力

物権は物を排他的に支配する権利である(→3頁)。このことから、1つの物の上には、互いに両立しえない内容の物権が並存することはなく、先に成立した物権が優先する。たとえば、Aが自己の所有する甲建物をまずBに、続いてCに二重に譲渡した場合には、先に譲り受けたBがAから甲の所有権を取得するので、Cが甲の所有権を取得することはないはずである。

もっとも、物権変動(所有権の取得もこれに含まれる)は、公示をしなければ第三者に対抗することができない(177条・178条)。これを「公示の原則」という(→30-31頁)。その結果、上の例のBは、Cよりも先にAから甲を譲り受けたにもかかわらずB名義への所有権移転登記をしていない場合には、甲の所有権を取得したことをCに主張することができない。そして、Cのほうが先に所有権移転登記を備えると、Cが甲の所有権を取得することで確定し、Bの所有権取得は否定される。このように、Bの所有権取得が先であっても、公示の原則の適用により、Bの所有権の優先的効力は否定されることになる。

さらに、民法が、特別な理由に基づいて、物権相互間の優劣をあらかじめ決めていることもある(先取特権に関する329条以下など)。この場合も、先に成立した物権が優先的効力を有するとは限らない。

Ⅱ　物権的請求権

1　物権的請求権とは

(1)　意義および根拠

たとえば、Ａの所有する甲土地にＢが無断で自動車を駐車していると、Ａは、甲を自由に使えないなど、所有権に基づく甲に対する支配を妨げられてしまう。そこで、Ａは、その支配を回復するために、甲の所有権に基づき、甲に対する妨害（駐車した自動車）を除去するようＢに請求することができる。

このように、物権を有する者は、物に対する支配が権原（物の使用や処分を正当化する法的根拠）のない他人によって侵害されている場合には、その侵害者に対し、侵害の除去を請求することができる。これを「物権的請求権」という。

物権的請求権が認められることを直接定めた規定は存在しない。しかし、実質的には、①物権は物に対する直接の支配を内容とする権利であるから、その支配を回復するための権利も与えるのが妥当であるとの理由で、物権的請求権が認められる。また、形式的に見ても、②事実状態に基づいて成立する占有についてさえ占有の訴えが認められる（197条）のだから（→122-124頁）、事実状態ではなく支配を内容とする物権にも同様の権利が当然認められること、③202条にいう「本権の訴え」とは物権的請求権の存在を前提にしていると考えられること（本権について→７頁・120頁）、が物権的請求権の根拠となる。

(2)　法的性質

たとえば、甲土地の所有権を有するＡは、所有権を自己に残したまま、所有権に基づく物権的請求権だけをＢに譲渡することはできるか。

物権的請求権を物権とは独立の請求権だと見れば、このような譲渡は可能かもしれない。しかし、仮に独立の請求権だとしても、物権自体を保護するために認められるのが物権的請求権であり、両者の分離は想定されていない。さらに、物権的請求権は独立の請求権ではなく、物権から生じる効力にすぎないと構成することも十分に考えられる。このような観点から、物権本体と切り離して物権的請求権のみを処分することも、また、物権本体と独立して物権的請求権だけが時効により消滅することも、認めるべきではないと解されている。

(3) 種類

物権的請求権の種類は、占有の訴え（→124-127頁）に類して、返還請求権、妨害排除請求権、妨害予防請求権の３種類に区別される。所有権に基づいて物権的請求権が行使される場合を例にすると、各請求権の内容は次のようになる。

①返還請求権　Ａの所有する腕時計をＢが無断で占有している場合には、Ａは、腕時計の所有権に基づき、その返還をＢに対して請求することができる。他人が物を不法に占有することによって物に対する所有者の支配を侵害している場合に、所有者がその他人に対して占有の返還を請求することができるという内容である。

②妨害排除請求権　Ａの所有する甲土地にＢが無断で建築資材を置いている場合やＢ名義の登記をしている場合には、Ａは、甲の所有権に基づき、建築資材の撤去やＢ名義の登記の抹消をＢに対して請求することができる。他人が占有以外の態様によって物に対する所有者の支配を侵害している場合に、所有者がその他人に対して侵害の除去を請求することができるという内容である。

③妨害予防請求権　Ａ所有の甲土地とＢ所有の乙土地が隣接し、乙のほうがやや高い位置にあるところ、乙の土壌が甲に崩落しそうになっている場合には、Ａは、甲の所有権に基づき、崩落を防ぐ措置を講じるようＢに対して請求することができる。他人が物に対する所有者の支配を現実に侵害してはいないが、侵害のおそれがある場合に、所有者がその他人に対して侵害の予防に必要な措置を講じるよう請求することができるという内容である。

(4) 物権の内容と物権的請求権

物権について物権的請求権が認められるとはいっても、どの物権にも返還請求権・妨害排除請求権・妨害予防請求権のすべてが認められるわけではない。

具体的に見ると、所有権は物を自由に使用・収益・処分することのできる権利であり（206条）、物に対する完全な支配を内容とすることから、３種類の請求権すべてが認められる。これに対して、その他の物権については、物に対する支配が完全でないため、それぞれの物権ごとに物に対する支配の内容を踏まえながら、どの種類の物権的請求権が認められるかを検討する必要がある（たとえば、地役権に基づく物権的請求権について→193-194頁。とくに抵当権に基づく物権的請求権について活発な議論がある→NBS『担保物権法〔第２版〕』37-40頁）。

2　物権的請求権の要件および相手方

以下では、所有権に基づいて物権的請求権が行使される場合を念頭に置いて、物権的請求権に関するルールと論点を見ていく。

(1)　要件

第１に、物権が現実に侵害されていることまたは侵害されるおそれがあることが、要件となる。

具体的には、物権的請求権の各種類に応じて、次のようになる。たとえば、Ａの所有する甲土地をＢが侵害している場合であれば、①返還請求権については、Ｂが甲を占有していること、②妨害排除請求権については、Ｂが（占有以外の態様で）甲に対するＡの所有権行使を妨げていること、③妨害予防請求権については、Ｂが甲に対するＡの所有権行使を妨げるおそれがあること、がそれぞれ必要とされる。

第２に、物権に対する現実の侵害または侵害のおそれは、客観的に違法なものでなければならない。上の例では、Ａの所有権に対する侵害について、Ｂが甲を適法に利用する権原（地上権や賃借権など）を有していないことが、客観的な違法性の根拠となる。逆にいえば、仮にＢが甲を適法に利用する権原を有しているなど、所有権侵害が違法とはいえない事情がある場合には、ＡのＢに対する物権的請求権は否定される。

(2)　相手方（侵害者）の故意・過失は不要

相手方（侵害者）の故意・過失は、物権的請求権の要件ではない。

不法行為に基づく損害賠償請求権（709条）と比較すると、同請求権は、故意・過失によって侵害を引き起こした者の責任を追及することを目的としている。これに対して、物権的請求権は、物に対する支配が現実に侵害されている（あるいは侵害されるおそれがある）状態を除去し、その支配を回復することを目的としている。そうすると、侵害者は、故意・過失の有無を問わず、このような侵害状態が生じていることだけを理由として、その状態を除去する責任を負わされる。

したがって、たとえば、ＣがＤの自動車を盗んで乗り回した後、Ｅ所有の乙土地に放置した場合には、自動車が乙に放置されたことについてＤに故意・過失はないが、Ｄの自動車が乙に対するＥの支配を現実に侵害している。そこで、この侵害状態を除去してＥの支配を回復させるために、Ｅは、Ｄに対し、乙の所有権に基づく物権的請求権（この場合は妨害排除請求権）を行使して自動車の撤去を請求することができる。侵害状態を現に生じさせているＤは、故意・過失がなくてもこれに従わなければならない。

以上のように、物権に対して客観的に見て違法な侵害状態が発生してさえいれば（あるいは発生するおそれさえあれば）、侵害者の故意・過失を問わず、物権的請求権が成立する。

(3) 請求の相手方

物権的請求権は、物に対する支配が現実に侵害されている（あるいは侵害されるおそれがある）状態を除去し、その支配を回復することを目的としている。したがって、物権を現実に侵害している（またはそのおそれを生じさせている）者が、物権的請求権の相手方となる。

たとえば、Ａの所有する甲土地にＢが無断で自己の自動車を駐車している場合には、甲の所有権に基づくＡの妨害排除請求権は、Ｂが相手方となる。また、ＣがＤの自動車を盗んで乗り回した後、Ｅ所有の乙土地に放置した事例では、乙の所有権に基づくＥの妨害排除請求権の相手方はＤとなる。侵害の原因を作ったのはＣであるが、乙に対するＥの支配を現実に侵害しているのはＤの自動車だからである。

物権的請求権の相手方をめぐる議論

Ｆ所有の丙土地に、Ｇが無断で建物を建てて丙を不法占拠しているとする。本文で述べた原則によれば、建物が丙の所有権を現に侵害しており、その建物の所有者がＧであるから、Ｆは、丙の所有権に基づき、Ｇに対して丙の返還請求（具体的には建物を収去して丙を明け渡せとの請求）ができる。つまり、建物が土地を不法占拠している場合には、建物の所有者が、土地の所有権に基づく返還請求権の相手方となる。

それでは、この事例で、Ｇが建物をＨに売却し、建物の所有権がＨに移転したが、登記はＧ名義のままである場合には（登記名義が移らなくても売却によって所有権が移転することについては→38頁）、Ｆは誰に対して丙の返還を請求することができるか。

本文で述べた原則によれば、建物が丙の所有権を現に侵害しており、その建物の現在の所有者がＨであるから、Ｆの返還請求権の相手方はＨとなる。もっとも、この結論だと、Ｆにとっては、自分の知らないうちに建物が売却されたにもかかわらず、建物の現在の所有者を探索せよという困難な作業を押し付けられてしまう。その反面、Ｇは、建物の所有権を他人に移転したと主張すれば、Ｆの返還請求権の相手方になる（建物収去土地明渡しの義務を負う）のを容易に免れることができてしまう。むしろ、建物の登記名義をなお有しているＧもＦの返還請求権の相手方になると解すれば、Ｆにとって有利である。

そこで、判例は、Ｆの返還請求権の相手方は建物の現在の所有者Ｈであるとの原則は堅持しつつも、一定の場合に限り、ＧもＦの返還請求権の相手方になるとした。具体的には、Ｇが自らの意思に基づいて建物の登記をした後、建物の所有権をＨに移したが、登記名義は自分に残している場合である。その理由は、①Ｇは自らの意思に基づいて建物の登記を自己名義にしている以上、177条の趣旨（物権変動があったのに登記を怠っていれば不利益を受けてもやむをえないこと。詳しくは→30頁・47-48頁）に照らして、現在は建物の所有権を有していないことをＦには主張できないと解され、また、②自らの意思に基づいて登記を自己名義にしておきながら、Ｆの返還請求を受けると、建物の所有者でないと主張して建物収去の義務を免れようとするＧの態度は、信義則に反するからである（最判平成６・２・８民集48巻２号373頁）。

3　物権的請求権の内容

(1)　行為請求権説とその問題点

判例（大判昭和12・11・19民集16巻1881頁）・通説によれば、物権的請求権とは、物権を有する者が、物に対する侵害を除去するよう、相手方（侵害者）に対して積極的な行為を請求することができる権利であると解されている。物権的請求権の内容をこのように解する見解を、行為請求権説という。たとえば、Aの所有する甲土地にBが無断で自動車を駐車している場合には、Aは、Bに対し、Bが自動車の撤去措置をとるよう請求することができる。そして、相手方が自ら積極的な行為をして侵害を除去しなければならないのだから、それにかかる費用も相手方（この例ではB）が負担しなければならない。

ところが、CがDの自動車を盗んで乗り回した後、E所有の乙土地に放置した場面（以下では「設例」と呼ぶ）では、行為請求権説によると、次のような疑問が生じる。

Dの自動車が乙の所有権を侵害しているため、Eは、乙の所有権に基づく妨害排除請求権を行使して、Dに対し、Dの費用で自動車を撤去するよう請求することができる。他方で、Dの自動車が乙に放置されていることにより、Eが、Dに無断でDの自動車を占有し、自動車の所有権を侵害していると評価することも可能である。そうすると、Dのほうから、自動車の所有権に基づく返還請求権を行使して、Eに対し、Eの費用で自動車を返還するよう請求することもできそうである。その結果、「EのDに対する妨害排除請求権」と「DのEに対する返還請求権」とが衝突し、EとDいずれか先に請求権を行使したほうが、相手方の行為と費用でもって侵害を除去できることになってしまう（いわば早い者勝ち）。

(2)　忍容請求権説・責任説の提唱とその問題点

学説では、物権的請求権の内容について、物権を有する者が物に対する支配を回復するために必要な行為を自らの費用で行うので、それを相手方（侵害者）に忍容するよう請求できるにとどまると解する見解（忍容請求権説）が主張された。相手方に対して相手方の費用での積極的な行為まで請求可能だとすると、相手方の自由を害することになるから、相手方に対する忍容（すなわち不作為）請求にとどめるべきだ、というのがその理由である。また、相手方に故意・過失があれば物権的請求権の内容が行為請求権となるが、そうでない限りは忍容請求権にとどまると解する見解（責任説）もある。

忍容請求権説によると、設例では、Ｅは自らの費用で自動車を撤去するのでＤに対してこれを忍容するように、他方で、Ｄは自らの費用で自動車を引取りに行くのでＥに対してこれを忍容するように、それぞれ請求することができる。責任説によっても、ＥとＤはともに故意・過失がないから、同じ結論になる。その結果、⑴のような行為請求権が衝突する事態は回避される。

しかし、忍容請求権説に対しては、①請求する側が自らの費用で行為をする必要がある結果、ＥとＤはいずれも自分からは請求しようとしなくなり、侵害状態がいつまでも解消されないおそれがある、②物に対する支配を回復する方法として忍容請求しか認めないのでは、物権の保護のあり方として不十分であり、物に対する支配権として物権を認めた意味がなくなる、などの批判がある。また、責任説についても、忍容請求権をベースとするので①②の批判が当てはまるほか、③物権に対する客観的に違法な侵害状態が発生していることのみを根拠として侵害者の責任を問うのが、物権的請求権の目的であるから（→16-17頁）、相手方（侵害者）の故意・過失の有無で区別するのは妥当でないといえる。

⑶ 行為請求権説の問題点への対処――双方侵害の否定

もっとも、行為請求権説を採用すると、結局は、⑴で述べた行為請求権の衝突をどうすればよいかという問題点に戻ってしまう。この点について、近時の多数説は次のように解している。

⒜ ＥのＤに対する妨害排除請求権のみが成立

設例では、ＥのＤに対する妨害排除請求権とＤのＥに対する返還請求権との衝突は起こらず、ＥのＤに対する妨害排除請求権のみが認められる。

物に対する支配が侵害されているかどうかは、法的に評価されるべき問題である。設例では、自動車のような動産は動く物であり（これに対して乙土地は動かない）、それが動いて乙土地に放置され、乙の所有権を侵害するリスクを当然にともなうことからすれば、そのリスクは自動車の所有者であるＤ自身が負うべきである。そうすると、設例の事態は、Ｄの自動車が乙に対するＥの支配を侵害している——乙が自動車に対するＤの支配を侵害しているわけではない——と評価するべきであり、その結果、ＥのＤに対する乙の所有権に基づく妨害排除請求権のみが成立する。

(b)　ＤのＥに対する請求

他方で、乙を侵害しているＤの側からは、Ｅに対し、自分の自動車を引き取るために乙に立ち入ることを忍容せよと請求することができると解されている（これは、物権的請求権ではなく、物権〔Ｄの自動車の所有権〕の効力として当然に認められる権利だと説明されている）。

そして、この請求をＥが拒んだ場合には、Ｅは自らの意思でＤの自動車を乙に取り込んだ以上、ＥはＤに無断で自動車を占有している——自己のためにする意思をもってＤの自動車を所持している（180条）——と評価される。その結果、ＤのＥに対する自動車の所有権に基づく返還請求権が成立するとともに、Ｄの自動車が乙を侵害しているとはいえなくなることから、ＥのＤに対する乙の所有権に基づく妨害排除請求権は消滅する。

(4)　行為請求権説と費用負担の問題

行為請求権説によれば、物権的請求権の相手方（侵害者）が、侵害の除去に必要な費用をすべて負担しなければならないのが原則である。

もっとも、侵害状態の発生について請求者（物権を有する者）にも帰責性があるときには、請求者と相手方との公平を図るために、過失相殺の規定（722条２項）を類推適用し、帰責性の割合に応じて請求者と相手方との間で費用の分担を図る見解も主張されている。

隣接地間の事案と費用負担

さらに、事案の特徴に応じて、請求者と相手方との間で費用の分担を図ることも考えられる。たとえば、Ｉ所有の丙土地とＪ所有の丁土地とが隣接し、丁のほうが高い位置にあるところ、集中豪雨によって丁の土砂が丙に流れ込んだとする。(3) (a)の多数説によれば、Ｊ所有の土砂が丙を侵害していると評価され、Ｉは、丙の所有権に基づき、土砂を除去するようＪに対して請求することができる。その上で、費用負担については、行為請求権説の原則どおりに除去費用をすべてＪに負担させるのではなく、むしろ、隣接地間の事案であることを考慮して、相隣関係（→145-150頁）に関する224条・226条を類推適用し、除去費用をＩとＪの折半とする見解が有力である。

4　金銭と物権的請求権

(1)　金銭の特殊性

たとえば、Ａが自己の所有している時計をＢに盗まれた場合には、Ａは、時計の所有権に基づく物権的請求権（返還請求権）を行使して、時計自体の返還をＢに請求することができる。Ｂが時計を盗んでも、時計の所有権がＢに移ることはなく、Ａが所有者だからである。

それでは、ＡがＢに盗まれたのが100万円（１万円札×100枚）であったらどうなるか。時計の例と同様に考えれば、Ａは、100万円の所有権に基づく物権的請求権を行使して、盗まれた100万円自体の返還をＢに請求することができそうである。

ところが、100万円の例では、ＡのＢに対する物権的請求権は認められない。金銭（紙幣を含む貨幣）については、時計のような動産一般と異なり、「占有のあるところに所有権もあり」と解されており、その結果、Ａは自己の占有から離れた100万円の所有権を失ってしまう（Ｂがその所有権を取得する）からである（最判昭和39・１・24判時365号26頁。もっとも、次の(2)で述べるように、Ａは、100万円の所有権を失うことにより、Ｂに対して不当利得返還請求権を取得し、それに基づいて100万円の支払を請求することができる）。

金銭について「占有のあるところに所有権もあり」とされたのは、次の理由による。①金銭は価値（１万円札であれば１万円分の価値）を体現するものであるが、この価値（１万円分）は金銭（１万円札）を離れては存在しえない。それゆえに、金銭を占有する者がその価値を支配していると認められる。②金銭には高度の流通性が要求される。上の例で、Ｂが、Ａから盗んだ100万円で、Ｃ

に対する債務を弁済したとする。このときに、Bが100万円を占有していても所有権を有しておらず、弁済を受けたCもその所有権を取得できないというのでは、金銭に対する信頼が低下し、金銭の流通が妨げられてしまう。

このように、金銭は、動産の一種であるにもかかわらず、動産とは異なる特殊な性格を有している。

(2) 不当利得返還請求権の承認とその問題点

(a) 不当利得返還請求権の承認

AがBに100万円を盗まれた場合に、AのBに対する物権的請求権は否定されるとしても、AがBに何の請求もできないわけではない。

100万円の価値は本来Aに帰属すべきであるのに、Bがその所有権を取得した結果、Bは法律上の原因なしにその価値を得ており、それによってAが損失を被っている。それゆえに、AはBに対して不当利得返還請求権という債権を取得する（703条・704条）。そこで、Aは、この不当利得返還請求権に基づいて、100万円の支払をBに請求することができる（なお、(1)の②で挙げた、BがAから盗んだ100万円でCに対する債務を弁済した事例では、AはBに対して不当利得の返還を請求できるほか、BがAから盗んだ金銭であることについてCが悪意の場合または善意でも重過失がある場合には、CはAとの関係で法律上の原因なしに100万円の価値を得ていると評価され、AはCに対しても不当利得の返還を請求することができる〔最判昭和49・9・26民集28巻6号1243頁参照〕。Cが悪意または悪意と同視しうる重過失の場合まで、金銭の高度の流通性を保護する必要はないからである。詳しくはNBS『事務管理・不当利得・不法行為』254-256頁を参照）。

(b) 不当利得返還請求権と物権的請求権の比較

こうして見ると、AのBに対する100万円の返還請求の根拠が、物権的請求権であろうと不当利得返還請求権であろうと、結論は同じであるように思える。しかし、上の例で、たとえば、Bの債権者C（債権額400万円）が、BがAから盗んだ100万円を差し押さえて強制執行の手続をとった場合に、結論の違いが生じる（Bには他にめぼしい財産がないとする）。

①AがBに対して不当利得返還請求権を有する場合には、AもCもBの債権者の1人であることから、AC間には債権者平等の原則が働く（→6頁）。した

がって、ＡＣは、強制執行の手続の中で、それぞれの債権額に応じて按分(あんぶん)された額によって、差し押さえられた100万円から満足を受けることになり、Ａは20万円（100万円×５分の１）、Ｃは80万円（100万円×５分の４）をそれぞれ回収できる。結局、Ａは、Ｂに対して不当利得返還請求権を有するとはいえ、盗まれた100万円全額の返還は受けられない結果となる。

②仮にＡが100万円の所有権を有する（これに基づいて物権的請求権を行使できる）とすれば、Ｃの差押えに対して、Ａは100万円の所有権に基づいて第三者異議の訴えを提起して、強制執行を阻止することができる（民執38条１項。Ａは「強制執行の目的物について所有権……を有する第三者」にあたる）。そして、Ａは、物権的請求権を行使することによって、100万円全額の返還をＢから受けられる。しかし、⑴ですでに述べたように、Ａは100万円の所有権を失っているので、以上の取扱いは認められず、①の結論になる。

(c)　不当利得返還請求権とすることの問題点

ＡがＢに盗まれたのが時計であれば、Ａが時計の所有権を有する（これに基づいて物権的請求権を行使できる）ことから②の取扱いが適用されるので、Ａは時計の返還請求ができ、また、Ｂの債権者Ｃの強制執行を阻止できる。これに対して、盗まれたのがたまたま100万円の場合は、①の取扱いによるため、100万円全額がＡに返還されるとは限らず、Ａが不利益を受ける反面、Ｂは（Ｃに対する債務を減らせるという形で）棚ぼたの利益を得ることになってしまう。

学説では、時計の場合と100万円の場合とで結論がこのように大きく異なるのは妥当でない、と指摘されている。もっとも、物権（物権的請求権）と債権（不当利得返還請求権）の違いといった民法の根本的な事項にかかわる難しい問題であり、なお未解決のままである。たとえば、100万円を盗まれたＡは、占有を失うにともない、「物としての100万円」の所有権は失うが、「価値としての100万円」の所有権は依然として有していると考えて、時計の場合と同じく、Ｂに対して物権的請求権と同様の返還請求権（物権的価値返還請求権と呼ばれる）を行使することができると解する見解などが主張されている。

第3章

物権変動総論

本章では、物権変動に関する基本的な概念やルールを扱う。まず、物権変動とはなにかについて、概説をおこない（I）、次に、法律行為による物権変動（176条）について、詳しく検討する（II）。

I　物権変動とは

1　物権変動の意義

物権変動とは、物権の発生・変更・消滅を総称する概念をいう。この定義は、変動を受ける権利の側に着目したものである。他方、権利の主体の側からみると、同じ事象は、物権の取得・変更・喪失と表現される。177条の「得喪及び変更」は、取得・変更・喪失を簡潔に示したものである。

たとえば、①Aは、自分が所有する高価な部品とBが所有する安価な部品とを用いて、パソコン（甲）を作り上げた。これにより、Aは、甲の所有権を取得する（246条2項）。②Aが甲について改造を加えると、それにともない、甲の所有権の内容が変更する。③AがCに対し、甲を売却したときは、AからCへと甲の所有権が移転する（176条）。④Cが甲を破壊したため、甲がバラバラになったときは、甲の所有権が消滅する。

①では、Aが最初に甲の所有権を取得する。②では、Aに属する甲の所有権について、変更が生ずる。③は、二面性を有する。すなわち、(a)Cが甲の所有権を取得する一方で、(b)Aが甲の所有権を喪失する。④では、甲の所有権が消

滅する。③の(b)を相対的消滅とよび、④を絶対的消滅とよぶことがある。

2　物権変動の原因と態様

各種の物権変動は、いくつかの観点から分類される。とりわけ重要なのは、法律行為による物権変動とそれ以外の原因による物権変動との区別（(1)）、原始取得と承継取得との区別（(2)）である。

(1)　私的自治と物権変動

(a)　法律行為による物権変動

人びとは、みずからの法律関係を、自己の意思によって決定することができる（私的自治の原則）。この原則は、物権変動についても適用される。たしかに、債権法では、契約自由の原則（521条・522条２項）が適用されるのに対し、物権法では、物権法定主義（175条）が適用される。しかし、物権法定主義は、当事者の合意によって物権の種類や内容を変えることを制限するにすぎない（３頁）。言い換えれば、物権法定主義は、物権変動が法律によって生ずることを原則とすることを定めるものではない。物権変動は、法律行為によって生ずるのが原則なのである（176条参照）。１に挙げた例でいうと、③が、法律行為による物権変動に当たる。

(b)　法律行為以外の原因による物権変動

②は、客体の物理的な変更による物権変動であり、③は、客体の物理的な消滅による物権変動である。他方、①では、加工による物権変動（246条２項）が生じている。そのほか、法律行為以外の原因による物権変動には、相続（896条）、時効取得（162条・163条）、即時取得（192条）、無主物先占・遺失物拾得・埋蔵物発見（239条～241条）、付合・混和（242条～245条）、混同（3）などがある。

(2)　原始取得と承継取得

(a)　意義

原始取得とは、前主の権利に基づかないで権利を取得することをいう。１に挙げた例では、Ａが加工により甲の所有権を取得したこと（①）が、原始取得に当たる。これに対し、承継取得とは、前主の権利に基づいて権利を取得することをいう。１に挙げた例では、ＣがＡから甲の所有権を取得したこと（③）が、承継取得に当たる。

承継取得には、後主が前主から権利の移転を受ける場合（移転的承継）のほか、後主が前主から権利の設定を受ける場合（設定的承継）も含まれる。設定的承継の例としては、地上権の設定や抵当権の設定が挙げられる。176条の「設定及び移転」という文言は、この区別に対応したものである。178条の「譲渡」は、移転的承継のうち、人の意思に基づくものをいう。

(b) 区別の基準

原始取得と承継取得とを区別する基準には、２つのものが考えられる。第１の基準によると、(a-1) 取得者が新たな権利を取得するときは、原始取得であり、(a-2) 取得者が既存の権利を取得するときは、承継取得である。第２の基準によると、(b-1) 取得者が負担の付かない権利を取得することができるときは、原始取得であり、(b-2) 取得者が負担の付いた権利しか取得することができないときは、承継取得である。

１に挙げた例のなかで、①では、Ａは、新たに生じた甲という物について、最初に所有権を取得する（(a-1)）。この場合には、Ａは、甲について負担の付かない所有権を取得する一方、Ｂに属していた部品の所有権は、消滅する（(b-1)）。したがって、①は、どちらの基準によっても、原始取得に当たる。これに対し、③では、Ｃは、Ａに属していた甲の所有権を取得する（(a-2)）。この場合には、もとの権利に付いていた負担が存続する（(b-2)）。例を変えて説明しよう。Ａが所有する乙土地について、ＤがＡから地上権の設定を受け、その旨の登記を備えた場合において、ＡがＣに対し、乙土地を売却したときは、Ｃは、地上権の負担の付いた所有権を取得するにとどまる。したがって、③は、どちらの基準によっても、承継取得に当たることとなる。

時効取得と原始取得

時効取得は、原始取得と承継取得とのどちらに当たるか。Ｅが所有の意思をもって、地上権の負担の付かないものとして乙土地の占有を継続したことで、乙土地の所有権を時効取得したときは、Ｅは、地上権の負担の付かない所有権を取得する（(b-1)）。そのため、第２の基準によれば、時効取得は、原始取得に当たる。他方、Eが乙土地の所有権を時効取得したときは、その反面で、Aが乙土地の所有権を喪失する。この場合には、Eは、Aに属していた乙土地の所有権を取得したかのようにもみえる（(a-2)）。そうすると、第1の基準によれば、時効取得は、承継取得に当たるともいえそうである。判例において、時効取得は「原始取得」であるものの、占有開始時の所有者と時効取得者とは、「恰（あたか）も伝来［承継］取得に於ける当事者たる地位に在るものと看做」（大判大正7・3・2民録24輯423頁）されている（→60頁）のは、この意味で理解することができる。

3　混同

混同とは、並存させておく意味がない2つの法的地位が同一人に帰することをいう。混同により、一方の物権が他方の物権へと吸収されて消滅する。民法は、物権の総則の最後に、物権の混同に関する規定を置いている（179条）。

たとえば、Aが所有する甲土地について、BがAから乙地上権の設定を受けた後、AからBへと甲土地が売却されたときは、甲土地の所有権と乙地上権との混同により、乙地上権が消滅する（同条1項本文）。もっとも、Aが所有する甲土地について、BがAから乙地上権の設定を受け、その旨の登記を備えた後、AからBへと甲土地が売却される前に、①Cが甲土地について抵当権の設定を受けていたときや、②Dが乙地上権について丙抵当権の設定を受けていたとき（369条2項）は、混同の例外として、乙地上権が存続する（179条1項ただし書）。これにより、①では、Cが抵当権に基づいて甲土地を競売し、Eがこれを買い受けたとしても、Bは、乙地上権に基づいて甲土地を利用することができる。また、②では、Dに属する丙抵当権は、その目的である乙地上権の喪失を理由とする消滅を免れる。

179条1項ただし書の規定は、所有権と対抗要件を備えた不動産賃借権との混同についても、類推適用される。

II　物権変動の公示

1　物権の性質と公示の要請

物権は、物に対する直接の支配権であり、絶対性および排他性を有する（→2-3頁）。そのため、物権の所在・変動は、これを外から認識することができるかたちであらわす必要がある。このことを、公示の要請という。これに対し、債権は、債権者が債務者に対し、一定の行為をしてもらう権利であり、絶対性や排他性を有しない。そのため、債権については、物権とは異なり、公示の要請が当てはまらないものとされている。

「不動産に関する権利を公示する」（不登1条）のは、不動産登記である。不動産登記では、不動産物権の変動が公示される（不登3条）。これにより、不動産物権の所在も、外から認識することができるようになる。他方、動産物権の所在は、動産の占有によって公示される。そこで、動産物権が譲渡されたときは、その占有を移さなければならない。動産物権譲渡の公示が引渡し、すなわち占有の移転とされているのは、そのためである。

財産権の帰属と公示

債権は、債務者に対する行為請求権であるという側面と、財産的価値のある権利として債権者に帰属するという側面とを有する。債権譲渡が認められる（466条）のは、後者の側面、つまり財貨としての債権の性格に着目したものである。Aは、Bに対し、自分が有するCに対する債権（α債権）を譲渡することができる。この場合において、AがDに対してもα債権を譲渡したときは、BとDとの間の優劣を決めなければならない。このことは、AがBに対し、自分が所有する甲建物や絵画（乙）を譲渡した後、Dに対しても甲建物や乙を譲渡したときと同じである。そのため、債権が譲渡されたときも、第三者に対し、その旨を公示しなければならない。民法によれば、債権譲渡の第三者に対する公示は、確定日付のある証書による通知または承諾によってされる（467条2項）。債権が譲渡されたことについて認識を得た債務者（C）が、第三者の照会に応じてその旨を回答すること（インフォメーションセンター・システム）によって、公示の要請が満たされるわけである。債権譲渡についての公示の要請を説明するために、相対性しか有しない債権も、その主体への帰属は、絶対的に作用するなどと説かれている。この見方によれば、公示の要請は、物権固有のものではなく、財産権の帰属に変動が生じたときに、ひとしく当てはまるものと捉えられる。

では、公示の要請を満たすために、不動産登記や動産の占有・引渡しについて、どのような効力を与えるべきか。以下では、この問題にかかわる２つの原則を扱う。

2　公示の原則と公信の原則

(1)　公示の原則

第三者は、物権変動の公示がされていないときは、その物権変動をないものとして扱うことができる。この原則を、公示の原則という。

(a)　不動産物権変動

Ａは、Ｂに対し、自分が所有する甲土地を売却した。もっとも、ＡからＢへの所有権移転登記は、されなかった。その後、Ａは、Ｃに対しても、甲土地を売却した。この場合において、ＡからＢへの所有権の移転は、ＡとＢとの意思表示の合致のみによって生ずる（176条〔意思主義〕）。もっとも、Ｂは、所有権移転登記を備えなければ、Ａから所有権を取得したことを、第三者であるＣに対抗することができない（177条〔対抗要件主義〕）。「対抗することができない」とは、Ｂは、Ｃに対し、Ａから所有権を取得したことを主張することができないという意味である（→47-48頁）。このように、民法は、公示の原則を対抗要件主義のルールとして定めている。これにより、Ａから所有権を取得したＢは、そのことを第三者であるＣに対抗することができないという不利益を受けることを免れるため、すみやかに所有権移転登記を備えるようになるであろう。そのため、対抗要件主義のルールによって、公示を備えることに対するインセンティブがはたらくこととなる。

(b)　動産物権変動

対抗要件主義のルールは、動産物権変動についても定められている。Ａは、Ｂに対し、自分が所有する時計（乙）を売却した。もっとも、ＡからＢへの乙の引渡しは、されなかった。その後、Aは、Cに対しても、乙を売却した。この場合において、AからBへの所有権の移転は、AとBとの意思表示の合致のみによって生ずる（176条〔意思主義〕）。もっとも、Bは、乙の引渡しを受けなければ、Aから所有権を取得したことを、第三者であるCに対抗することができない（178条〔対抗要件主義〕）。では、同条の「引渡し」は、どのような方法によってされるのか。これについては、BがAのところから乙を持ち帰る必要はなく、Aのところに乙の保管を委ねておくことでも足りるものとされている（占有改定〔→90頁〕）。そのため、乙は、現実にはAのところから動いていないにもかかわらず、引渡しがあったとされることがある。そこで、動産物権変動については、公示の原則は、十分に機能していないものとされている。

(2) 公信の原則

公示を信頼して取引をした者は、公示どおりの物権（変動）がなかったとしても、その物権（変動）があったものとして扱うことができる。この原則を、公信の原則という。

(a) 動産取引

Aは、Cに対し、パソコン（丙）を売却した。しかし、丙の真の所有者は、Bであった。Aは、Bから丙を賃借して、その引渡しを受けていただけである。このケースでは、Cは、原則として、丙の所有権を取得することができない。〈何人も自己が有する以上の権利を他人に移転することはできない〉（このルールを、無権利の法理という）からである。もっとも、この原則を貫くと、動産取引の安全が害される。Cは、丙を占有するAがその所有者であると過失なく信じてAから丙を買い受け、その占有を始めたとしても、丙の所有権を取得することができないからである。そこで、動産の占有については、公信力が与えられている（192条〔即時取得〕）。これにより、取引行為によって善意無過失で丙の占有を始めたCは、丙の所有権を取得することができる。このことは、次の２つの意味を有する。

(i) 公示の要請の確保　丙の所有者であるBは、Cの即時取得の成立を防止するため、次のような人的・物的な予防策をとるはずである。すなわち、信頼に値する――第三者からの照会があったときに、Bが所有者であるとその第三者へと回答する——人に丙を賃貸したり、「貸与ＰＣ」のシールを丙に張ったりする方法である。これにより、物権の所在は、これを外から認識することができるようになる。この意味において、公信の原則は、公示の要請を確保するものと位置づけられる。

(ii)　**公示の原則の補完**　動産物権変動における公示の原則は、十分に機能していない。(1)(b)に挙げた事例において、ＢがＡから占有改定の方法により乙の引渡しを受けたときは、乙は、現実にはＡのところから動いていないにもかかわらず、Ｂは、Ａから所有権を取得したことを、第三者であるＣに対抗することができる（178条〔対抗要件主義〕）。公示の原則によれば、Ｃは、無権利者であるＡからの取得者である。もっとも、Ｃは、乙を占有するＡがその所有者であると過失なく信じてＡから乙を買い受け、その占有を始めたときは、公信の原則によって、乙の所有権を取得することができる（192条〔即時取得〕）。この場合には、動産の占有の公信力は、引渡しの公示力が十分でないことから生ずる動産取引の不安定に対処する役割を担っている（→93頁）。この意味において、公信の原則は、公示の原則を補完するものと位置づけられる。

(b)　**不動産取引**

では、不動産取引については、どうか。丁建物の所有権の登記名義人は、Ａであった。そこで、Ｃは、Ａが丁建物の所有者であると過失なく信じて、Ａから丁建物を買い受けた。しかし、丁建物の真の所有者は、Ｂであった。不動産登記に公信力が与えられるのならば、Ｃは、丁建物の所有権を取得することができるはずである。しかし、不動産登記については、公信力が与えられていない。動産の占有と不動産登記とで、公信力が与えられるかどうかが区別されているのは、なぜなのか。

まず、①不動産登記については、不実の登記がまれではないからであると説かれることがある。しかし、この説明では、動産の占有に公信力が与えられていることを正当化することができない。実体的な権利（変動）と公示との不一致の度合いは、不動産よりも動産のほうが大きいからである。動産取引については、公信の原則は、むしろ、公示の不十分を補完するものであると位置づけられている（(a)(ii)）。

そうであるとすると、不動産登記に公信力が与えられていない理由は、次の点に求められるものと考えられる。一方で、②不動産は、人の生活や事業の基盤となるものである。そのため、不動産登記に公信力を与えると、真の権利者に対し、過度の負担を負わせることとなる。他方で、③動産は、その簡易かつ迅速な取引を確保する必要性が高い。動産の占有に公信力を与えなければ、動産取引は、著しく停滞することとなろう。これに対し、不動産取引については、動産取引と比較すれば、その簡易かつ迅速な取引を確保する必要性は高くない。

公信の原則と公示力との関係

公示力が低いところで公信力を与えると、真の権利者の負担が大きくなるのは、たしかである。しかし、それ以上に、公示力が高くなければ、公信力を与えることができない、というのは問題である。本文でみたように、この考え方では、動産の占有に公信力が与えられていることを説明することができない。また、公信の原則が、実体的な権利（変動）と公示とを一致させるインセンティブを高めるという側面（(a)(i)）が、見落とされてしまうこととなる。

では、不実の登記を信頼して取引をした者は、いっさい保護されないのか。不動産登記については、公信力が与えられていない。もっとも、その機能の一部は、94条２項類推適用によって果たされている（→74-77頁）。公信の原則と94条２項類推適用との基本的な相違は、次の点にある。すなわち、公信の原則は、公示に対する第三者の信頼を基礎とするものであるのに対し、94条２項類推適用は、外観の作出または存続に対する真の権利者の帰責性を基礎とするものである（→111頁）。

(3) 公示の原則と公信の原則との関係

公示の原則と公信の原則との関係は、一般に、次のように対比されている。公示の原則は、公示がなければ物権変動もないはずであるという消極的な信頼を保護するものである。他方、公信の原則は、公示があればそのとおりの物権（変動）もあるはずであるという積極的な信頼を保護するものである。

よく知られた比喩によれば、公示は、洋服になぞらえることができる。物権を取得した者は、洋服（公示）を着ないと、身内（当事者）であればともかく、他人（第三者）の前に出ていくことができない（公示の原則〔対抗要件主義〕）。これに対し、物権（変動）がないのに公示のみがされている状態は、ハンガーに掛けられた洋服のようなものである（無権利の法理）。公信力は、あたかも洋服から人間を取り出す手品のようなものである点で、無から有を生み出す例外則に位置づけられる（公信の原則）。

Ⅲ　法律行為による物権変動

1　物権変動の構成

(1)　3つの対立軸

Ａは、Ｂに対し、自分が所有する甲土地の所有権を売買により移転しようと考えている。この場合には、次の３点が問題となる。第１に、ＡからＢへの所有権の移転の効力が生ずるためには、その旨の意思表示の合致があれば足りるのか、それとも、所有権移転登記を備えることまで必要なのか。第２に、ＡからＢへの所有権の移転の効力は、売買契約に基づいて生ずるのか、そうではなく、売買契約から区別された所有権譲渡行為に基づいて生ずるのか。第３に、売買契約が無効であったり、取り消されたりしたときに、ＡからＢへの所有権の移転の効力も、当然に失われるのか。これらの問題については、以下でみるように、さまざまな考え方がある（【図表３-１】〔→37頁〕の整理を参照されたい）。

(a)　意思主義と形式主義

第１の問題については、意思主義と形式主義とが対立している。形式主義によれば、法律行為による物権変動は、当事者の意思表示に加えて、一定の形式が備わらなければ、その効力を生じない。ここでいう形式は、公示、すなわち不動産であれば登記、動産であれば引渡しとされるのが一般である（このように、公示を要件とする形式主義は、成立要件主義または効力要件主義とよばれる）。これに対し、意思主義によれば、法律行為による物権変動は、当事者の意思表示のみによって、その効力を生ずる。もっとも、意思主義をとるときであっても、その物権変動を第三者に対抗するためには、公示を備えなければならないとされることがある（意思主義＋対抗要件主義〔→30頁〕）。

(b)　一体主義と分離主義

第２の問題については、債権行為と物権行為とを区別するかどうかによって、立場が分かれる。債権行為とは、債権・債務の発生を目的とする法律行為をいう。他方、物権行為とは、物権の変動を直接の目的とする法律行為をいう。債務として物権を変動する義務を負担することは、債権行為の目的となるのであって、物権行為の目的となるのではない。物権行為の目的となるのは、物権を変動することそのものである（両行為の相違について→40-41頁）。

一体主義によれば、債権行為から区別された物権行為は、観念されず、物権変動は、物権行為と未分化の債権行為に基づいて生ずる。これに対し、分離主義によれば、債権行為から区別された物権行為が観念され、物権変動は、物権行為に基づいて生ずる。たとえば、一体主義によれば、売主から買主への所有権の移転の効力は、売買契約に基づいて生ずる。これに対し、分離主義によれば、債権行為である売買契約に基づいて生ずるのは、売主と買主との間の債権・債務である。これにより、売主は、売主の債務として所有権移転義務を負担する。売主から買主への所有権の移転の効力は、所有権移転義務の履行としてされる所有権譲渡行為、つまり物権行為に基づいて生ずる。

分離主義には、大きく分けて、(i)形式主義の立場から、公示をともなう物権行為によって物権変動が生ずるとするもの（以下、「形式主義型分離主義」という）と、(ii)意思主義の立場から、観念的な物権行為に基づいて物権変動が生ずるとするもの（以下、「意思主義型分離主義」という。この立場は、概念的分離主義とよばれることもある）とがある。(ii)は、不動産の売買を例にとると、物権行為が公示、つまり登記とともにされることや、引渡しや代金の支払とともにされることを妨げるものではない。登記・引渡し・代金の支払といった外にあらわされる行為は、まとめて、外部的徴表行為とよばれる。他方、(ii)では、現実には１つの行為のなかで、債権行為と物権行為とが同時にされることも認められる。もっとも、この場合であっても、債権・債務は、債権行為に基づいて生じ、物権変動は、物権行為に基づいて生ずるものと捉えられる。

そのほか、(i)と(ii)との中間に当たるものとして、(iii)物権行為は、意思表示のみから構成されるとしつつ、その意思表示がされるのは、つねに外部的徴表行為がされた時点であるとする立場も考えられる（以下、「中間型分離主義」という）。(iii)は、表向きは、意思主義から離れるものではないものの、その実質をみれば、形式主義に近い。

これに対し、一体主義は、一般に、意思主義と結び付けられている（意思主義型一体主義。以下、たんに「一体主義」というときは、これをさす）。もっとも、形式主義の立場から、一体主義がとられることもある。形式主義のもとでの一体主義によれば、法律行為による物権変動は、物権行為と未分化の債権行為に加えて、一定の形式（公示）が備わったときに、その効力を生ずることとなる（以下、「形式主義型一体主義」という）。

物権行為の独自性と一体主義・分離主義

一体主義・分離主義をめぐる議論は、物権行為の独自性を認めるかどうか、という観点から整理されることが多い。売買における所有権の移転を例にとると、独自性否定説のメルクマールとしては、２つのものが考えられる。すなわち、売主から買主への所有権の移転の効力が生ずるための要件として、別段の定めがない限り、①売買契約（債権行為）から区別された所有権譲渡行為（物権行為）は、不要であるとすること（→40-41頁も参照）と、②売買契約時にされる行為と別個の行為は、不要であるとすることとである。一体主義は、①と②とをともに満たす。他方、形式主義型分離主義および中間型分離主義は、①と②とをともに満たさない。したがって、前者を独自性否定説とし、後者を独自性肯定説とすることには、問題がない。

では、意思主義型分離主義は、どうか。この立場は、債権行為と物権行為とを区別するから、①を満たさない。つまり、物権行為の独自性を肯定するかどうかという視点からは、独自性肯定説に位置づけられる。もっとも、この立場のなかでも、②を満たすもの、すなわち物権行為と債権行為とは、別段の定めがない限り、同時にされると捉える見解は、物権行為の独自性を否定するという意味で、独自性否定説に位置づけられる。他方、意思主義型分離主義にたちつつ、物権行為がされるのは、別段の定めがない限り、外部的徴表行為、つまり登記・引渡し・代金の支払のいずれかがされた時であると捉える見解は、①と②とのいずれも満たさない。したがって、この見解は、どちらのメルクマールからみても、独自性肯定説に位置づけられる。

(c) 有因主義と無因主義

第３に、物権変動の「原因」（ここでは、債権行為をさす）が無効であったり、取り消されたりしたときに、物権変動の効力も失われるかどうかが問題となる。このことを認めるのが、有因主義であり、認めないのが、無因主義である。

一体主義は、有因主義と結び付く。ＡがＢに対し、自分が所有する甲土地を売買により移転した場合において、Ａが売買契約における意思表示を代金額に関する錯誤によって取り消したときは、ＡからＢへの所有権の移転の効力が失われ、甲の所有権は、当然にＡに属することとなる。これに対し、分離主義は、有因主義とも、無因主義とも結び付く。このうち、有因主義によれば、債権行為の無効や取消しは、物権行為の有効性にも影響を及ぼす結果、物権変動の効力が失われ、一体主義のもとでの有因主義と同じ扱いとなる。他方、無因主義によれば、債権行為の無効や取消しは、物権行為の有効性には影響を及ぼさず、物権変動の効力が生じたままとなる。先に挙げた例では、Ａの錯誤による取消しは、所有権譲渡行為の有効性には影響を及ぼさず、ＡからＢへの所有権の移転の効力は、失われない。この場合には、Ａは、Ｂに対し、不当利得を理由として、甲の所有権を復帰的に移転するよう求めることとなる。

【図表3-1】 全体像

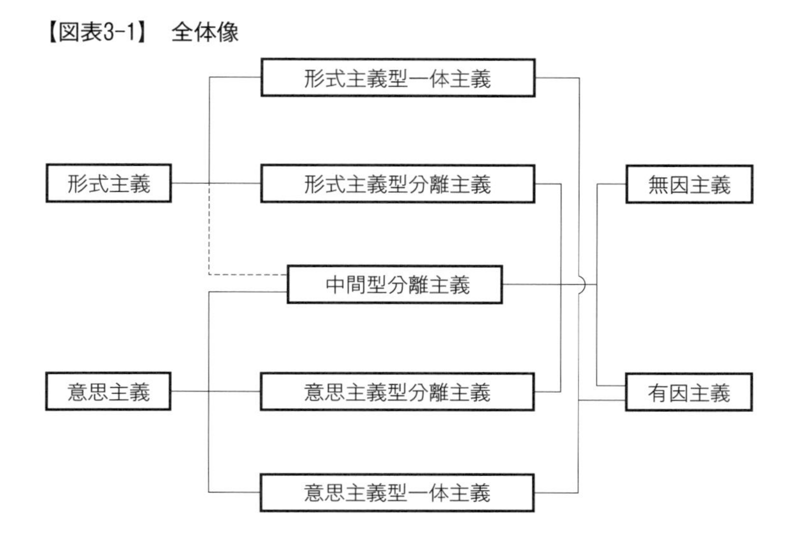

(2) 日本法の立場と考え方

ドイツ法は、形式・分離・無因主義をとっている。他方、フランス法は、意思・一体・有因主義をとっている。形式・分離・有因主義をとるオーストリア法は、両者の中間に位置づけられる。では、日本法については、どうか。

【図表3-2】 比較法

<table>
<tr><td>ドイツ</td><td rowspan="2">形式主義</td><td rowspan="2">形式主義型分離主義</td><td>無因主義</td></tr>
<tr><td>オーストリア</td><td rowspan="2">有因主義</td></tr>
<tr><td>フランス</td><td>意思主義</td><td>意思主義型一体主義</td></tr>
<tr><td>日本</td><td>意思主義
（176条）</td><td colspan="2">争いあり</td></tr>
</table>

(a) 意思主義と形式主義

まず、第1の問題については、意思主義がとられている。176条によれば、法律行為による物権変動は、「当事者の意思表示のみ」によってその効力を生ずると規定されているからである。同条の規定は、フランス法に由来するものである。形式主義は、解釈論としては、これをとることができない。

(b) 一体主義と分離主義

これに対し、第2の問題については、議論の余地がある。176条の「意思表示」については、2とおりの理解が考えられるからである。売買による所有権の移転についていえば、①所有権の移転の効力は、売買契約（555条）に基づいて生ずると捉え、この債権行為を構成する債権的意思表示が、176条の「意思表示」に当たるとする理解と、②所有権の移転の効力は、所有権譲渡行為に基づいて生ずると捉え、この物権行為を構成する物権的意思表示が、同条の「意思表示」に当たるとする理解とがある。①の理解は、一体主義的なものであるのに対し、②の理解は、分離主義的なものである。通説は、①の理解をとっている。この理解は、第1の問題のみならず、第2の問題についても、フランス法的な考え方を貫徹したものであると位置づけることができる。

【図表3-3】 売買における所有権の移転の構造

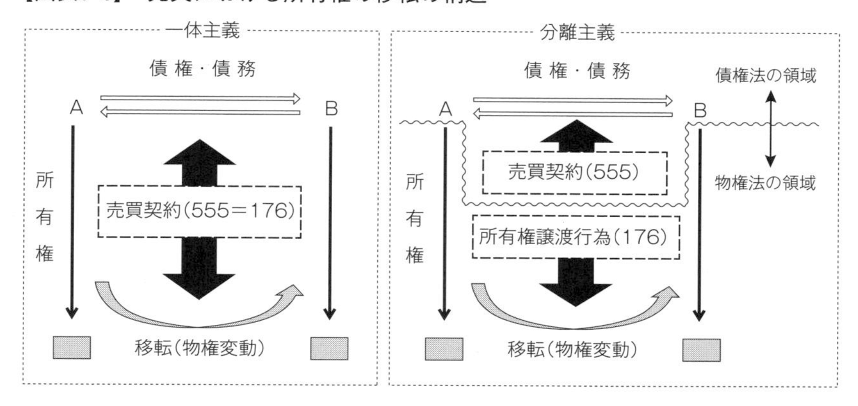

(i) **意思主義・形式主義との関係**　たしかに、形式主義型分離主義((1)(b)の(i))は、意思主義をとることとした176条の規定に反する。中間型分離主義((1)(b)の(iii))も、同条の規定と整合しにくいであろう。しかし、このような意思主義との矛盾・衝突は、意思主義を基本とした分離主義、つまり意思主義型分離主義((1)(b)の(ii))には生じない。

意思主義型分離主義によれば、物権変動は、債務として物権を変動する義務を負担することを目的とする法律行為ではなく、物権を変動することを目的とする法律行為に基づいて生ずる。この構成は、債権・債務の発生という効果と、物権の変動という効果との間に基本的な相違を認め、それぞれの効果が生ずるためには、それぞれに対応する意思が必要である、という考え方を基礎に据えるものである。意思主義型分離主義によれば、物権を変動する意思が独自のものとして取り出される。この意味において、意思主義型分離主義は、意思主義の理念を突き詰めたものである。分離主義は、形式主義のもとでしか意味を有しないというわけではない。むしろ、意思主義のもとでこそ、分離主義の有する意味が純粋にあらわれるものと考えられる。

(ii) **民法体系との関係**　日本法の物権変動の規律は、フランス法に由来するものである。そうすると、ここでの問題についても、一体主義の立場をとるべきであるかのようにも思われる。しかし、日本法は、民法の体系については、ドイツ法の影響を受けている。物権と債権とを区別し、それぞれについての概念やルールを別の編に定めているのは、同法にならったものである。

そのため、一体主義によると、現行法のルールをうまく説明するのが難しい。AとBとの間で、Aが所有する甲土地をBに対して売る契約がされたときは、Aは、売主の債務として所有権を移転する義務を負担することとされている（555条参照）。しかし、一体主義では、売買契約に基づいて所有権の移転の効力が生ずるため、所有権を移転するためにAがするべきことはない。したがって、Aが売主の債務として負担するのは、甲土地を引き渡す義務やその所有権の移転の対抗要件を備えさせる義務（560条）に限られるのではないかという疑問が生ずる。他方、分離主義によれば、Aは、売買契約（債権行為）に基づいて、売主の債務として所有権を移転する義務を負担する。この義務を履行するためにされる所有権譲渡行為（物権行為）に基づいて、AからBへの所有権の移転の効力が生ずる。甲土地の真の所有者がCであったとしても、AとBとの間でされた（他人物）売買契約は、有効に成立する（561条）。このことも、分離主義の立場からは当然のことである。

民法の体系上、物権と債権とを基本的に区別する（両者の性質や効力の違いについて→2-3頁・11-13頁）以上、物権変動の構成においても、物権行為と債権行為とを区別すべきである（物権行為がいつ成立するのかについて→36頁・45頁）。このような理解が、フランス法とドイツ法との双方から影響を受けた日本法のもとでの意思主義の解釈として、適切なものであると考えられる。

債権行為と物権行為との相違

学説のなかには、債権行為から区別された物権行為を観念しつつ、債権行為と物権行為とから構成される１つの法律行為がされるとするものがある。この考え方によれば、売買がされるときは、所有権を移転すること、売主の債務として所有権を移転する義務を負担すること、買主の債務として代金の支払をする義務を負担することについて意思表示が合致することにより、１つの「契約」が成立するものと捉えられる。この考え方も、物権行為の独自性を否定する説（→36頁）に位置づけられることがある。

しかし、このように、債権行為と物権行為とから構成される１つの法律行為がされるとすることには、次の問題がある。所有権を移転することについて意思表示（176条）が合致したときは、それにより所有権譲渡行為が成立する。その内容は、売買契約（555条）・贈与契約（549条）・交換契約（586条）に共通するものである。他方、売主の債務として所有権を移転する義務を負担することと、買主の債務として代金の支払をする義務を負担することとについて意思表示が合致したときは、それにより売買契約（555条）が成立する。その内容は、同契約固有のものであって、贈与契約（549条）・交換契約（586条）とは異なる。この意味において、物権行為の内容は、抽象的であるのに対し、債権行為の内容は、具体的である。そして、債権行為は、物権行為をおこなう理由（原因）に位置づけられるものである。このように、債権行為と物権行為とでは、その基本的な内容や性格が異なる。そうであるとすると、両者は、それぞれ別個の法律行為としてこれを捉えるほうが望ましいものと考えられる。

(c) 有因主義と無因主義

最後に、第3の問題を検討しよう。ドイツ法では、無因主義がとられている。まず、①無因主義によれば、当事者間の債権行為が無効であったり、取り消されたりしても、物権行為の有効性には影響を及ぼさない。そのため、一方当事者から物権を転取得した第三者は、その物権を失うことがない。これにより、物権取引の安全が確保されることとなる。次に、②無因主義によれば、当事者間の債権行為の無効や取消しと、第三者の物権取得の効力とが切り離される。そのため、当事者間の債権行為について、第三者の物権取得の効力に対する影響を考慮せずに、もっぱら意思表示の有効性の観点から、その無効や取消しを認めることができる。このように、現在のドイツでは、無因主義の機能は、主として、①物権取引の安全の確保と、②表意者の保護とにあるとされている。

では、日本法においては、どのように考えるべきか。まず、①について、無因主義に物権取引の安全の確保の機能があることは、同主義をとるべきことを正当化するものではない。意思表示に関する第三者保護規定（93条2項・94条2項・95条4項・96条3項）、対抗要件主義（177条・178条）の適用範囲、即時取得（192条）と94条2項類推適用（→74頁・100頁）は、物権取引の安全を確保すべきところでこれを十分に確保しているものと考えられる。他方、無因主義によれば、あらゆる場合に悪意の第三者も保護されることとなる。しかし、そこまで物権取引の安全を確保すべきかどうかは、疑わしい。次に、②について、日本法においては、第三者の物権取得の効力に対する影響を排除すべきときは、当事者間の債権行為が無効であったり、取り消されたりしても、そのことを第三者に対抗することができないものと構成されている。この構成は、フランス法の影響を受けたものである。つまり、当事者間の債権行為の無効や取消しの問題と、第三者の物権取得の効力の問題とは、対抗不能の構成によってすでに切り離されている。したがって、無因主義に表意者保護の機能があることも、同主義をとるべきことを正当化するものではないと考えられる。

売却・譲渡

「Aは、Bに対し、自分が所有する甲土地を売却した」という表現は、AからBへと甲土地の所有権が移転したことをも意味しているのが通常である。このことは、一体主義の立場をとり、かつ契約時移転説（→43頁）に従うときは、よく理解することができる。これに対し、意思主義型分離主義によれば、所有権が移転したことを表現するためには、厳密にいえば、先の表現に続けて、「甲土地を譲渡した」と付け加えたほうが正確である。他方、一体主義の立場でも、AからBへと所有権が移転したことを明確に示すために、「譲渡した」という表現が用いられることがある。「二重譲渡」（→48頁）も、所有権が二重に移転したことをあらわすものである。「譲渡」という概念は、分離主義のもとでは、一般に、債権行為から区別された物権行為を意味する。これに対し、一体主義によれば、「譲渡」は、法律行為の性格を有するものではない。

2　物権変動の時期

(1)　判例法理

売買による所有権の移転の効力は、いつ生ずるのか。176条には、「効力を生ずる」としか定められていない。この問題についての判例法理は、次のとおりである。

(a) 特約がされたとき

当事者間で特約がされたときは、その特約の定めによる。たとえば、〈売買の目的物の所有権は、代金の支払がされた時に移転する〉旨の特約が当事者間でされたときは、所有権の移転の効力は、代金の支払がされるまでは生じない（最判昭和35・3・22民集14巻4号501頁参照）。

(b) 特約がされていないとき

当事者間で特約がされていないときは、①所有権の移転の効力は、原則として、契約時に生ずる（この考え方は、契約時移転説とよばれる）。「売主の所有に属する特定物を目的とする売買においては、特にその所有権の移転が将来されるべき約旨に出たものでないかぎり、買主に対し直ちに所有権移転の効力を生ずる」（最判昭和33・6・20民集12巻10号1585頁）。ここでは、所有権の移転の効力が生ずるために、「売買」時にされる行為と別個の行為がされることは、求められない（独自性否定説〔→36頁〕。この判例が、独自性否定説のうち、一体主義によるものなのか、意思主義型分離主義によるものなのかは、明確でない）。

もっとも、②所有権の移転の効力が生ずることについて支障があるときは、この限りでない。まず、(i)不特定物売買がされたときは、売買の目的物が特定された時（401条2項）に、所有権の移転の効力が生ずる。また、(ii)他人物売買がされたときは、他人物売主が売買の目的物の所有権を取得した時に、所有権の移転の効力が生ずる。さらに、(iii)所有権の移転について農地法上の許可を要する農地の売買がされたときは、農地法上の許可が得られた時または農地でなくなり農地法上の許可が不要になった時に、所有権の移転の効力が生ずる。

(2) 議論状況

当事者間で特約がされていない場合において、所有権の移転の効力が生ずることについて支障がないときに、その所有権の移転の効力は、いつ生ずるのか。この問題について、不動産の売買を念頭に置きながら、現在の議論状況を整理してみよう。

(a) 物権変動の構成と物権変動の時期との区別

物権変動の構成について一体主義の立場をとったときでも、物権変動の時期を契約時と解さなければならないわけではない。176条の読み方として、所有権の移転は、売買契約に基づいて生ずるということ（「意思表示」の解釈）と、所有権の移転の効力が生ずる時期は、契約時よりも後であるということ（「効力を生ずる」の解釈）とは、矛盾するものではないからである。このように、一体主義の立場をとりつつ、所有権の移転の効力が生ずる時期を契約時よりも後らせる見解には、次のようなものがある。

第1は、不動産の売買契約における当事者の通常の意思を重視すべきであるとするものである。この見解は、具体的には、外部的徴表行為、つまり登記・引渡し・代金の支払のいずれかがされた時に、所有権の移転の効力が生ずるものとしている。

第2は、有償性の原理から出発するものである。売主が買主に対し、売買の目的物の所有権を移転するのは、代金の支払を受けるためである。そうであるとすれば、所有権の移転の効力が生ずる時期は、原則として、代金の支払時であるとみるべきである。もっとも、売主が買主から代金の支払を受けないまま、登記を移したり、引渡しをしたりした場合において、売主が売買の目的物の所有権を移転することで買主に信用を与えたと評価されるときは、所有権の移転の効力は、登記時または引渡し時に生ずるものとされる。

(b) 物権変動の構成と物権変動の時期との接合

法律行為が成立したときは、原則として、その時点で効力が生ずる（127条以下参照。売買契約に基づく債権・債務について、555条）。このことは、法律行為による物権変動についても同じである。このように考えるときは、(a)とは異なり、物権変動の構成の問題と物権変動の時期の問題とは、結び付けられることとなる。

(i) 一体主義による解釈　この理解にたちつつ、一体主義の立場をとるならば、不動産について、当事者間で「売る」「買う」と口約束がされた段階で、売買契約が成立し、その時点で所有権の移転の効力が生じてしまいそうである。しかし、この場合には、そもそも契約が成立したといえるのかどうかが問題となる。たしかに、日本では、不動産の売買契約の成立について、なんらの書面も求められていない（522条2項・555条〔諾成契約〕）。しかし、契約が有効に成立するときは、当事者は、その契約に拘束される。そうである以上、当事者間で確定的かつ終局的な合意がされなければ、契約は、成立しないものとみるべきである。そして、不動産は、人の生活や事業の基盤となる財産であるから、当事者間でたんなる口約束がされた段階では、そのような確定的かつ終局的な合意がされたとはいえない。この考え方によれば、所有権の移転の効力が生ずるのは、契約時であるという理解をとりつつ、その契約が成立する時期を後らせることができることとなる。

もっとも、一体主義の立場によれば、いずれにせよ、そこでいう「契約」は、売買契約のことである。売買契約が成立すれば、別段の定めがない限り、その時点で売主から買主への所有権の移転が生ずる。この考え方によると、契約の成立時期を厳密に確定したとしても、それは、債権・債務を生じさせる契約が成立した時点を確定する意味しか有しない（なお、所有権譲渡行為を含む1つの「契約」がされるとする見解について→40-41頁）。

(ii) 分離主義による解釈　これに対し、意思主義型分離主義の立場によれば、売買契約（債権行為）が成立したときは、債権・債務が生ずるにとどまる。所有権の移転の効力は、所有権譲渡行為（物権行為）、つまり所有権を移転させる契約に基づいて生ずる。そして、(b)の最初に述べた見方から出発するときは、所有権の移転の効力は、別段の定めがない限り、所有権を移転させる契約が成立した時に生ずる。そこで、そのような契約が成立するのはいつかが問題となる。

この問題について、不動産の売買契約における当事者の通常の意思を重視する見方（(a)の第1）によるならば、所有権譲渡行為の成立時期は、別段の定めがない限り、外部的徴表行為、つまり登記・引渡し・代金の支払のいずれかがされた時となり（意思主義型分離主義のうちの独自性肯定説〔→36頁〕）、その時点で所有権の移転の効力が生ずる。他方、物権行為と債権行為とは、同時にされるのが一般であるとみるならば、所有権譲渡行為の成立時期は、別段の定めがない限り、売買契約時となり（意思主義型分離主義のうちの独自性否定説〔→36頁〕）、その時点で所有権の移転の効力が生ずる。契約時移転説を日本法の解釈論として主張するならば、この構成によるべきであると考えられる。

所有権の移転時期を論ずる意味

学説のなかには、所有権の移転時期はいつか、というかたちで問題をたてること自体について、疑問を投げかけるものがある（段階的移転説）。それによれば、①売主と買主との関係は、当事者間でされた特約と契約法の規定とによって規律される。また、第三者との関係は、対抗要件によって規律される。あえていうなら、所有権を構成するさまざまな権能が、売主から買主へと「なしくずし的」に移転するというべきであるとされる。この見解は、②所有権とは、物を利用したり、侵害を除去したり、果実を収取したりするといったさまざまな「権能の束」であるという見方を基礎に据えている。段階的移転説は、まず、②について、伝統的な所有権の観念と対立するものである。その観念によれば、所有権という１つの権利を源泉として、そこからさまざまな権能が流れ出すと考えられているからである。次に、①について、所有権の移転時期を確定しなければ、解決することができない問題があると批判されている。たとえば、売買の目的物である土地が不法に占有されている場合において、売主と買主とのどちらが所有権に基づいてその土地の明渡しを求めることができるのかは、売主から買主へと所有権が移転したかどうかを確定しなければ、これを判断することができない。

第４章

不動産物権変動

甲土地の所有者ＡとＢの間で、売買契約が締結されたとする。これにより、ＡはＢに対して甲の所有権を移転し、甲を引き渡し、所有権移転登記に協力する義務を負う。ＢはＡに対して売買代金を支払う義務を負う。

それでは、ＡＢ間の売買契約の内容が完全に履行される前に、Ａが第三者Ｃとも甲の売買契約を締結した場合には、どのような問題が生じるか。本章では、このような不動産物権変動に関する問題について検討していく。具体的には、177条の解釈論が中心となる。

以下では、まず、176条と177条の関係を確認する。続いて、177条所定の物権変動の範囲と第三者の範囲の問題を検討し、無権限取引からの第三者保護、すなわち94条２項の類推適用を扱う。最後に、不動産登記について詳しい説明をする。

Ⅰ　不動産物権変動とは

1　対抗

不動産物権変動を定めている条文は、177条である。そこでは、「不動産に関する物権の得喪及び変更は、…登記をしなければ、第三者に対抗することができない」と規定されている。物権変動の効果は意思表示のみで発生するが(176条)、これは当事者間の関係においてのみ当てはまる。物権変動が存在しないと第三者から主張された場合に、物権変動の発生をその第三者にも主張するためには、登記が必要となる。これが対抗の意味するところである。

2　不動産登記

不動産登記とは、不動産登記法に基づいて物権変動の過程と物権の帰属状態が記録された、その記録内容のことをいう。登記は、不動産公示制度の１つである。管理と運営について国家機関が関与し、不動産登記法によってその手続について詳細に定められていることが、登記の確実性を大きく高めている。このため、不動産登記は、占有や明認方法（→115頁）と比べると、形式的な登記内容と実体法上の権利関係の間の不一致が少ない。この確実性は、さらに、司法書士を中心とした専門家集団による努力によって、かなり高いレベルで維持されている。

3　二重譲渡

有効になされた登記は、法的にどのような効力を有するのか。登記の効力の中で最も重要なものは、対抗力である。対抗力が問題となるのは、具体的にどのような場面か。

たとえば、甲土地の所有者ＡがＢに甲を売却した後、Ｃにも甲を売却したとする。この場合、意思表示のみによって、つまり売買契約の成立のみによって、物権変動の効果が発生する。すると、ＡＢ間で売買契約が成立した時点で、ＡからＢに甲の所有権が移転することになり、Ａはすでに無権利者であるといえそうである。それにもかかわらず、ＡはＣにも有効に甲を譲渡できるのだろうか。

(1)　判例の立場

判例は二重譲渡を認めているとされる（最判昭和39・３・６民集18巻３号437頁）。第一譲渡によって所有権移転の効果が発生するが、Ｂの所有権取得は、登記がない段階では不完全なものであり、その限りにおいて、Ａにも不完全な物権が依然として残っているとする。このため、ＡはさらにＣに対しても第二譲渡を有効に行うことができ、Ｃも不完全ながら甲の所有権を取得する。そして最終的には、登記を先に具備した者が甲の完全な所有権を取得する。ＢＣともに未登記の間は、お互いに自らの権利取得を対抗できないとされる（両すくみの状態）。これは、176条と177条を同じ程度に重視して、両者を合わせて解釈論を展開しようとする見解といえる。

(2) 176条を重視する見解

これに対して、176条の存在を重視し、二重譲渡を否定する見解も存在する。すなわち、ＡＢ間の第一譲渡によって甲の所有権はＡからＢに完全に移転し、Ａが無権利者となることを正面から認めるのである。それでもなお、Ｃが所有権を取得する可能性が認められるのは、Ａのもとに残されている登記に公信力（→31-33頁）があるからであるとする。したがって、ＣがＡ名義の登記を善意無過失で信頼した場合に限り、Ｃは有効に甲の所有権を取得し、その反射的効果として、未登記のＢは所有権を失うことになる。

また、ＡからＢへの完全な物権変動を認めた上で、Ｃの権利取得を177条が認めた特別な法定取得によるものであると解する見解もある。この見解によれば、Ｃによる甲の取得は、登記に公信力があるからではなく、177条から直接に導かれる効果であり、Ｂが所有権を失うことになるのは、Ｂが登記を備えなかったことに対する制裁であるとされる。

いずれの見解を採用しても、ＢＣともに未登記の間はＢがＣに優先する。176条が重視される結果、ＡＢ間の第一譲渡によってＢが権利者になると同時にＡは無権利者になっており、Ｃも登記を備えない限り無権利者であるからである。

II　物権変動の範囲

物権変動はさまざまな原因により生じる。たとえば、売買や取得時効などである。177条は、いかなる物権変動の場合にも適用されるのだろうか。177条が適用されるべき物権変動の範囲については、これまで無制限説と制限説の対立があった。

判例はもともとは制限説を採っていたが、その後、無制限説に変更された（大連判明治41・12・15民録14輯1301頁）。登記によって権利関係を画一的に定めなければならないという要請は、意思表示に基づく物権変動に限定されない。このため、無制限説が採用されたのである。

これに対して、177条が適用される物権変動を一定の範囲に限定すべきとする見解も主張されている。古くは、意思表示に基づく物権変動に限定すべきとする考え方もあった。現在の有力説は、対抗問題を生じる物権変動に限って177条の適用があると解している。

もっとも、2018（平成30）年の立法によって899条の２が新設された。この規定は、相続による権利の承継に関して、法定相続分を超える部分については、登記を備えなければ第三者に対抗することができない、と定めている。したがって、この要件を満たす不動産物権の承継については、899条の２が177条と特別法の関係にたち、優先適用されることになる。

1　取消しと登記

ＡがＢに売買契約に基づいて甲土地を譲渡し、Ｂに登記も移転した。しかし、その契約の締結にあたってＢは、実際には１億円の価値のある甲につき5000万円で売れれば高いほどであるとＡを欺罔（ぎもう）し、不当に安価で買い取ったとする。この場合、Ａは詐欺を理由としてその売買契約を取り消すことができるが（96条１項）、Ａの取消しと前後してＢが第三者Ｃに甲を転売していたとする。このとき、ＡはＣに甲の返還を請求できるか。

(1)　判例

取消しと登記と称されるこの問題につき、判例は、ＣがＡによる取消しの前に現れたのか後に現れたのかによって、処理の仕方を変えている。

(a)　取消前の第三者

(i)　96条３項　　まず、Ａの取消前にＣが現れた場合【図表4-1】、判例は、96条３項により、Ｃが善意無過失である場合に限り、Ｃを保護する。つまり、96条３項の趣旨は、すでに利害関係を有しているＣを取消しの遡及効（121条）から保護することにあると解するのである。取消しの効果は遡及的無効であって、本来であれば、ＡからＢに所有権は一度も移転しなかったことになり、このため、ＢからＣへの移転もなかったことになるはずである。しかし、そうだとすると、Cの利益が著しく害されてしまう。まさにこのようなCを保護するために、96条3項の存在意義が見出される。

(ii) 登記の必要性　この場合に、Cを96条3項における第三者として認めるための要件として、善意無過失に加えて登記が要求されるかについては争いがある。判例は96条3項の文言どおり、善意無過失のみで足り、登記を要しないと解しているようである（最判昭和49・9・26民集28巻6号1213頁）。被強迫者とは異なり、被詐欺者には、虚偽表示者と同じとまではいえないけれども一定の帰責性が認められるからである。

【図表4-1】

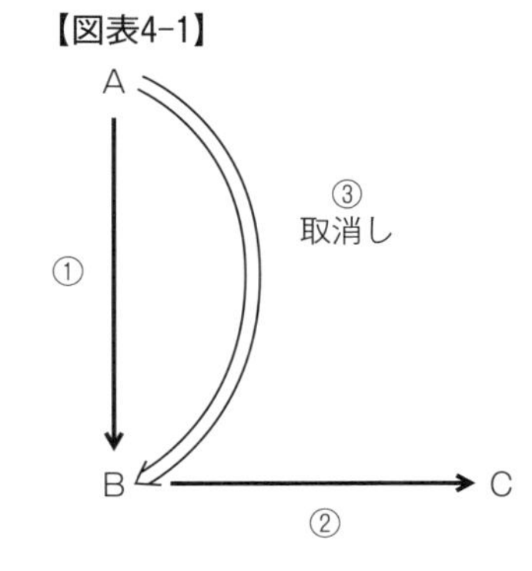

ただし、判例で実際に問題となった事案では、Cが仮登記までは備えていた。しかも、農業委員会の許可が必要とされる農地売買の事案（農地3条）で、農業委員会の許可がまだ下りていなかったために本登記がそもそもできなかったという背景があった。この事案におけるCは、自らができる限りの方策を採っていたとも評価しうるため、同判決をもって判例が取消前の第三者の要件に関して登記を不要と解したといえるかどうかについては、疑問の余地がある。

> **権利保護資格要件**
>
> かりに登記必要説を採用する場合、その登記は権利保護資格要件としての登記であって、96条3項の第三者として保護されるための要件である。対抗要件としての登記ではない。このことは、結論にも大きな影響を与える。とくに、対立する当事者がいずれも未登記の場合に違いが出てくる。対抗要件としての登記が問題となっている場合には、両者ともに相手方に対して自らの権利を主張できず、双方敗訴の判決が出されるが、権利保護資格要件としての登記が問題となっている場合には、取消権者が勝訴し、第三者が敗訴する。第三者は、登記を具備しなければそもそも96条3項の第三者として扱われないからである。

(iii) 詐欺以外に基づく取消し　取消原因が強迫であった場合には、善意無過失のCといえども原則として保護されないことに注意を要する。96条3項には、強迫は含まれていない。被強迫者と被詐欺者の帰責性を考慮すると、前者のほうが後者よりもその程度が低いからである。

また、Aが制限行為能力者であり、制限行為能力者であることを理由として取消しがなされた場合にも、Cは保護されない。この場合のCを保護する規定が存在しないからである。

(b) 取消後の第三者

これに対して、Aの取消後にCが現れた場合【図表4-2】には、判例はBを起点としたAとCへの二重譲渡類似の関係があったものとみて、177条を適用し、AC間の優劣を登記によって決する（大判昭和17・9・30民集21巻911頁）。この場面で、96条3項を用いることはできない。これは取消しの遡及効から第三者を保護するための規定であって、取消時にCが存在していなければならないからである。

【図表4-2】

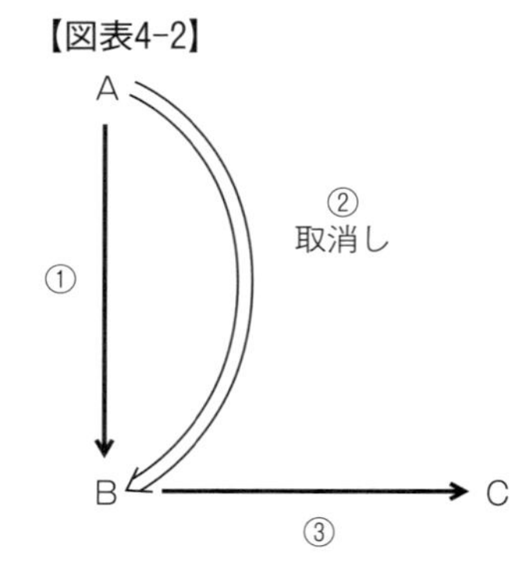

そこで、AからBに甲が譲渡された後、Aが取り消すことによって、所有権がBからAへ復帰する物権変動があると考える。その後、BからCに転売がなされ、物権変動が発生する。このBA間の取消しによる復帰的物権変動とBC間の売買による物権変動を同列のものと理解し、二重譲渡と同視して、対抗問題として処理するのである。したがって、177条の適用があり、AまたはCのうち先に登記をした者が優先することになる。なお、この場合には、AとCの善意または悪意は問題とならない（→68頁）。

(2) 学説

判例の見解に対しては、次の3つの有力な批判が展開されている。すなわち、第1に、取消後の第三者のケースを復帰的物権変動と捉えると、121条が規定する取消しの遡及効と矛盾する。第2に、177条の適用により悪意であるCも保護されることになってしまう。第3に、Cの登場時期に応じて異なる解釈論を採用し、登記の必要性の有無が変わるのは一貫性がない。

そこで、取消後にCが現れた場合には、次のように考えるべきとされる。Aの取消しによりBは遡及的に無権利者となり（121条）、Aは当初から真の権利者のままであって、B名義の登記が残っているだけであると。そうすると、無権利者BとCが売買契約を締結したとしても、Cは甲の所有権を取得できない。無から有は発生しないからである。判例の対抗法理との対比で、無権利法理とも称される（→63-64頁）。

しかし、B名義の登記が放置されていれば、Bが真の権利者であるに違いないとCが誤信することもやむをえない。そこで、このようなCを保護する方法として、94条2項の類推適用が主張されている。Aが登記を具備することができたにもかかわらずB名義の登記を放置していることが、AB間の虚偽表示によってB名義で登記がなされている状況と類似しているからである。94条2項を類推適用するので、Cが保護されるためには、善意でなければならない。

このように、取消前のCは96条3項によって、取消後のCは94条2項類推適用によって処理されるため、いずれの場合でも取消しの遡及効が認められ、Cは善意無過失（96条3項）または善意（94条2項類推適用）である場合にのみ保護される。

2　解除と登記

AがBと売買契約を締結し、甲土地を譲渡したが、Bが期限までに代金を完済しなかったため、Aは同契約を解除した。この解除の前後に、Bが第三者Cと売買契約を締結し、甲を譲渡していた場合を想定しよう。

(1)　解除の法的性質

この問題を考えていくためには、まず解除の法的性質について理解しなければならない。解除とは、債務不履行があった場合に契約関係を解消させることをいう（540条以下）。その効果について、545条1項本文は、各当事者が相手方を原状に復させる義務を負うことになると規定しているが、これについては争いがある。

判例は、解除によって契約は遡及的に無効になると解している。これに対して、契約は解除によって遡及的に無効となるのではなく、解除をきっかけとして原状回復のための新たな物権変動が生じると解する学説もある（→詳しくはNBS『契約法』で学ぶ）。

(2) 判例

判例は、取消しと登記の場面と同じく、CがAによる解除の前後いずれの時点で現れたかによって異なる処理をしている。

(a) 解除前の第三者

解除前のCについては、解除によって不利益を被るおそれのある第三者を保護するための規定である545条1項ただし書を適用する。この場合、Cが善意であることは要求されない。善意を求める規定がないことに加えて、取消しの場合と違って次のように状況が異なるからである。したがって、悪意のCも保護される。

解除権の発生要件が満たされるためには、少なくともBに債務不履行がなければならない。とくにBの履行遅滞が問題となっている場合には、AはBに相当の期間を定めて履行の催告をし、それにもかかわらずBが履行しないという事実がなければならない（541条）。したがって、Bが債務不履行に一度は陥りつつも、その後、相当の期間内に履行をしたためにAによる解除権が発生しないか、あるいは、Aの解除権が発生していてもその行使前にBの履行がなされる可能性もある。このため、Bの債務不履行とAの解除権についてCが悪意であっても、その後Bが履行することもあるので、Cの善意を要求してはならないのである。

ただし、判例は、解除前のCが保護されるためには登記が必要であると解している。解除者Aが権利を失うこととのバランスをとるためである。取消前の第三者とは扱いが違う（→51頁）。この場合の登記は権利保護資格要件の登記と解すべきと思われるが、判例は対抗要件としての登記であると述べている（最判昭和33・6・14民集12巻9号1449頁）。

(b) 解除後の第三者

これに対して、CがAによる解除後に現れた場合には、判例はAによる解除によってBからAに復帰的物権変動が発生し、また、BからCへの物権変動が発生しているとみて、二重譲渡になると構成する（最判昭和35・11・29民集14巻13号2869頁）。したがって、177条が適用され、ＡＣ間の優劣は登記で決せられるとする。

(3) 学説

学説においては、解除の効果を原状回復のための新たな物権変動の発生と解して、解除の前後を問わず復帰的物権変動があったとみて、177条の適用によりＣの保護を図るという見解も有力である。

さらに、解除の効果を遡及的無効と解した上で、解除前の第三者については545条１項ただし書の問題であるが、解除後の第三者の保護については無権利法理を採用して94条２項類推適用による解決を図る見解もある。この見解は、解除後の第三者の場面において解除の効果を復帰的物権変動と解することに対して、取消しと登記をめぐってなされたのと同じ批判をする（→52-53頁）。

3　相続と登記

所有権の移転は、相続によっても生じる（896条本文）。相続の開始事由は被相続人の死亡のみであるため（882条）、被相続人を起点とした相続による物権変動と他の物権変動が二重譲渡の関係になることは考えられない。ただし、被相続人Ａが死亡する前にＢに甲土地を譲渡したところ、その登記をＢが経由する前にＡが死亡し、ＣがＡを単独相続し、ＣがＤに甲を譲渡することはありうる。この場合、Ａの包括承継人であるＣを起点とするＢとＤに対する二重譲渡の関係が発生し、対抗問題として登記が優劣決定基準となる（177条）。

ここで問題となるのは、相続人が複数存在する共同相続の場合である。たとえば、被相続人Ａに共同相続人として子ＢとＣがいたとする。この場合、ＢとＣの法定相続分は２分の１ずつである（887条・900条）。ここでＡが死亡し、ＢとＣがＡの唯一の遺産である甲土地を相続したとすると、甲をＢとＣが共有することになる（898条）。共同相続の場合、遺産分割（907条）により、どの遺産が共同相続人の誰に帰属するかを決定した上で、その遺産分割に基づく登記を行うことが期待される。そして、遺産分割が行われると、その効果は相続開始時に遡る（909条本文）。

(1) 共同相続と登記

上述の事例で共同相続の登記がなされていない間に、かつ、遺産分割がなされる前に、Cが書類を偽造して単独で甲を相続した旨の登記を行い、第三者Dに甲を譲渡したとする【図表4-3】。

【図表4-3】

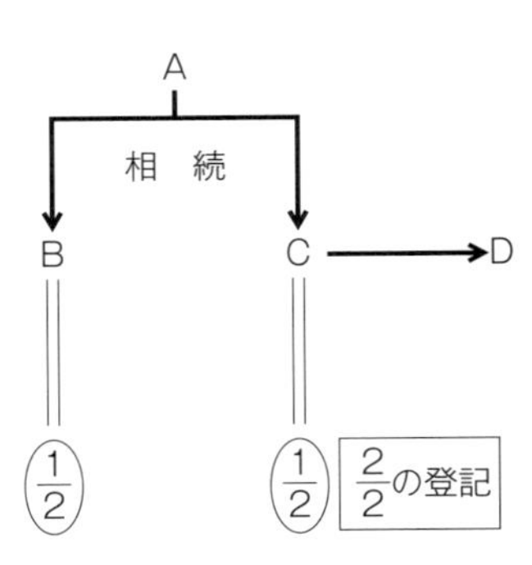

判例は、Bの持分権の対象である甲の2分の1については、Cの登記は無権利の登記であり無効であるから、DはCからBの持分権を譲り受けることができないとしている（最判昭和38・2・22民集17巻1号235頁）。すなわち、Bの持分権については、BD間で対抗関係は発生しない。

ここで注意すべき点が2つある。まず、Cの持分権それ自体に関しては、Cは有効にDに譲渡することが可能である。Cの固有の権利だからである。したがって、Cが自らの持分権をDに譲渡するに当たってBの同意は不要である。次に、Bの持分権に関して、上述のとおりDは原則として権利を譲り受けることはできないが、例外として94条2項類推適用の可能性は残されている。ただし、そのためにはBの帰責性とDの善意が要件となる。

(2) 遺産分割と登記

被相続人Aには共同相続人である子BとCがおり、Aの遺産に属する甲土地に関しては、遺産分割によりBが単独相続することになった。しかし、その遺産分割の前後において、第三者Dが甲に関するCの持分権を差し押さえたとしよう【図表4-4】。

【図表4-4】

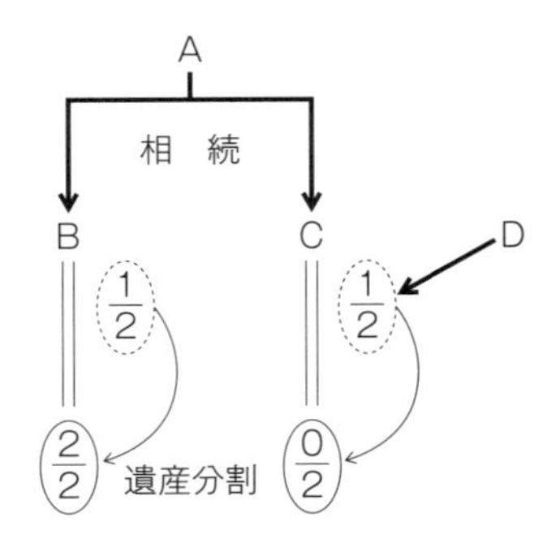

(a) 遺産分割前の第三者

判例は、Dの登場時期が遺産分割の前か後かで区別する。すなわち、遺産分割前にDが現れた場合には、909条ただし書の適用により、遺産分割の遡及効が制限され、Dが保護される。なお、Dが保護されるためには権利保護資格要件としての登記が必要であるとするのが通説である。

(b) 遺産分割後の第三者

これに対して、遺産分割後にDが現れた場合はどうか。この場合、Bの法定相続分の範囲を超える部分、すなわち、Cの法定相続分については、遺産分割に基づいて、相続による不動産物権のBへの承継があったとみることができる。遺産分割には遡及効があり、BはAから甲を単独相続することになったのである。このため、899条の2第1項が適用され、登記が対抗要件となる。

(3) 相続放棄と登記

相続人は、自らのために相続が起きたことを知ってから3か月以内であれば、その相続を放棄することができる（915条1項）。相続放棄がなされると、放棄をした者ははじめから相続人ではなかった者とみなされる（939条）。

被相続人Aの相続人である子BとCがおり、甲が遺産であるところ、Cが相続を放棄したとすると、Cははじめから相続人ではなかったことになり、Bが甲を単独で相続することになる。このケースにおいて、DがCの当初の法定相続分を差し押さえた場合はどうか。

(a) 相続放棄前の第三者

Cが放棄する前にDがCの相続分を差し押さえた場合、Bは登記を要することなく、甲を取得したことをDに対抗できる。遺産分割の場合（909条ただし書）とは異なり、相続放棄の場合には3か月の期間制限があり、かつ、遡及効を制限して第三者を保護する規定が置かれていないからである。

(b) 相続放棄後の第三者

これに対して、Cの放棄後にDが登場した場合はどうか。遺産分割のケースと同様に考えるのであれば、CD間の関係は対抗問題として処理され、899条の2第1項の適用があり、登記がなければBはDに対抗することができないことになる。

しかし、相続放棄は、Bの知らない間にCが単独で行うことができる。このため、その結果についてBに登記を求めることは酷ではないか。また、Bの取得分の増加は、Cの相続放棄の遡及効（939条）に伴う反射的効果であるため、

899条の２第１項にいう相続に該当しないと考えられる。判例も、相続放棄後にＤが登場した場合であっても、Ｂは登記なくしてＤに対抗することができるとしている（最判昭和42・１・20民集21巻１号16頁）。

(4) 「相続させる」旨の遺言と登記

被相続人Ａが甲土地を相続人Ｂに遺贈するのではなく、「相続させる」旨の遺言（特定財産承継遺言といわれる。1014条２項）を残すことがある。この遺言は、その内容の解釈によって、遺贈と解される場合と遺産分割方法の指定と解される場合がある。もっとも、判例によれば、遺言書の記載から遺贈であることが明らかであったり、あるいは、遺贈と解すべき特段の事情があったりするのでない限り、「相続させる」旨の遺言を遺贈と解すべきではない、とされている（最判平成３・４・19民集45巻４号477頁）。したがって、「相続させる」旨の遺言は、原則として、遺産分割方法の指定（908条）と解される。この場合には、特定の行為を要することなく、Ａが死亡すると同時にＢに甲が相続される。

ここで、Ａの他の相続人Ｃが甲を相続したものとして共同相続の登記をし、その持分権をＣの債権者Ｄが差し押さえたとしたらどうか。これまで、判例は、Ｂが自らの所有権取得をＤに対して主張するのに登記を要しないと解していた（最判平成14・６・10家月55巻１号77頁）。しかし、899条の２が新設されたため、この場合にも、Ｂの取得分が法定相続分を超えている以上、ＢがＤに対抗するためには登記が必要となる。

(5) 遺贈と登記

被相続人Ａが生前に相続人Ｂに対して甲を贈与する旨の遺言（964条本文）を残していたとする。これを遺贈という。ここで、Ａが死亡すると、遺言の効果が発生し、甲の所有権はＡから直接Ｂに移転する（985条１項）。

ここで、Ｂが甲に関する登記を経由しないでいたところ、Ａの相続人ＣがＤに甲を譲渡した場合、ＢはＤに対して自らの所有権取得を主張するのに登記を要するか。判例は登記を必要とする（最判昭和39・３・６民集18巻３号437頁）。

遺贈の相手方、つまり受遺者は、これまでに取り上げた遺産分割の当事者や、「相続させる」旨の遺言の相手方とは異なり、相続人に限定されない。相続人ではない第三者を受遺者として遺贈をすることもできる。そうだとすると、遺贈による不動産物権変動を相続による権利の承継と解するのは、妥当ではない。なぜならば、相続人ではない第三者を受遺者とする遺贈を、相続によるものと解することはできないからである。また、受遺者が相続人の場合と相続人ではない第三者の場合とで異なる扱いをするのは、いずれも同じ法律行為である遺贈がなされたにもかかわらず適用される条文が異なることになり、適切ではない。したがって、遺贈がなされたことにより対抗問題が発生した場合には、一律に、不動産物権変動の対抗問題一般を規律している177条を適用して、登記によって優劣を決めるべきである。

なお、遺言内容を実現するための事務を執行する者として、遺言執行者が選任されることがある（1006条1項）。遺言執行者は、遺言の執行に必要な一切の行為をする権利義務を有する（1012条1項）。これに対して、相続人は、遺言の執行を妨げる行為をしてはならず（1013条1項）、そのような行為は無効である（1013条2項本文）。ただし、善意の第三者は保護されうる（1013条2項ただし書）。したがって、上述の事例で、Ｅが遺言執行者に選任されていた場合、Ｄが保護されるためには、ＤはＥの存在につき善意であり、かつ、登記を備える必要がある（177条）。

4　時効と登記

(1)　判例——5つのルール

時効による権利取得も、物権変動の一因である。不動産所有権を時効により取得するためには、所有の意思をもって平穏かつ公然に目的物を占有することが必要である（162条）。占有期間について、占有開始時に占有者が自己に占有権限がないことについて善意無過失であった場合には10年（同条2項）、悪意あるいは善意有過失であった場合には20年と定められている（同条1項）。

このように、取得時効制度は占有を基礎として成立するものであって、登記が成立要件とされているわけではない。このため、占有者が未登記であっても時効による権利取得が認められるというのが原則である。判例は、時効と登記の問題に関して、以下の5つのルールをたてている。

(a) 当事者間の関係（ルール①）

たとえば、Aが所有する甲土地を、Bが所定の要件を満たしつつ善意無過失で10年以上またはそれ以外で20年以上占有している場合には、Bが甲を取得し、Aはその反射的効果としてその所有権を失う。このBの所有権取得は、原始取得であるとされている（→27-28頁）。判例は、ここでのAB間の関係を第三者関係ではなく当事者間の関係であると解している。このため、Bが時効による自らの所有権取得をAに主張するにあたって、登記は要求されない。

(b) 時効完成前の第三者（ルール②）

判例は、Bの時効完成前に第三者Cが現れた場合には【図表4-5】、BC間を当事者関係であるとみる（最判昭和41・11・22民集20巻9号1901頁）。すなわち、Bの時効が完成した時点での相手方はAではなくCであるため、BとCは177条のいう対抗関係に立たないとするのである。したがって、Bは未登記で自らの権利取得をCに対して主張することができる。

(c) 時効完成後の第三者（ルール③）

これに対して、Bの時効完成後にCが現れた場合には【図表4-5】、AからBへの時効による物権変動とAからCへの物権変動を同レベルのものと考えて、二重譲渡類似の関係であるとする。このため177条の適用を認めて、BC間は第三者関係であって登記が対抗要件になると判例は解している（大連判大正14・7・8民集4巻412頁）。

(d) 時効の起算点（ルール④）

判例は、Cの登場時期がBによる取得時効完成の前後いずれであるかによって異なる処理をしているため、Bの時効期間の起算点を任意にずらすことを認めない（最判昭和35・7・27民集14巻10号1871頁）。すなわち、起算点は、Bが占有を開始したまさにその時点で確定される。

たしかに、時効を援用する時点で占有者が引き続き占有を継続していることがあり（むしろそのほうが多い）、占有している現時点から逆算して、善意無過失であれば10年前、悪意あるいは善意有過失であれば20年前の時点を時効の起算点とすることも、理論的には可能である。

しかし、判例はそのようには考えていない。時効の起算点を逆算して定めることを認めてしまうと、Bが占有し続けている限り、Cは時効完成前の第三者

【図表4-5】 時効完成前後の第三者Cとの関係

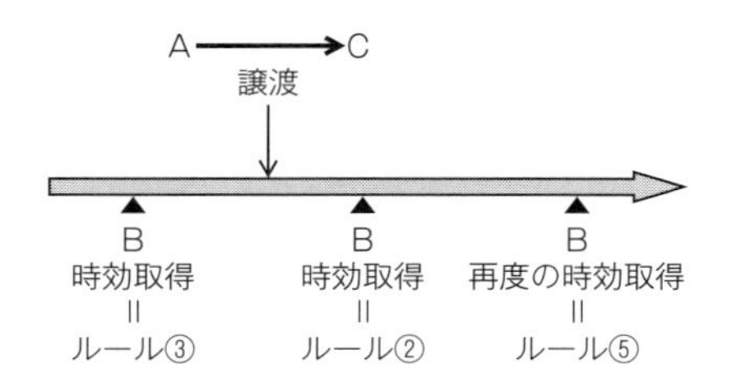

となる。これでは、Bの時効完成とCの登場時期によって異なる処理を行うという判例の基本的な考え方が採れなくなってしまうのである。

(e) 再度の時効取得（ルール⑤）

時効完成後の第三者Cが先に甲の登記を経由し、BがCに対抗できなくなったことが確定した後（ルール③）、Bがさらに甲を占有し続け、所定の要件を充足した上で再度所定の期間が経過した場合はどうか【図表4-5】。この場合には、BとCの関係は当事者関係となり、Bは未登記で新たな時効の完成による権利取得をCに対して主張できるようになる（最判昭和36・7・20民集15巻7号1903頁）。

(2) 類型論

判例はBの取得時効完成時とCの登場時に着目し、その前後に応じて異なる処理を行っている。しかし、そもそも、CからすればBの取得時効完成時を予測することはきわめて難しく、Cの現れる時点でBの時効が完成しているかどうかは、ほぼ偶然によるといえる。そうだとすれば、このような不明確な事情を基準として法律構成を区別することに合理性はあるのか。

そこで、登記を尊重する見解や占有を尊重する見解もこれまで主張された。しかし、この問題を新たな視点から分析したのが、取得時効が問題となるケースを類型化して解決を図ろうとする見解である。この見解によれば、時効と登記が問題となりうる場面として、大別して二重譲渡型と境界紛争型の2類型があるとされる。二重譲渡型では登記を尊重し、境界紛争型では占有を尊重する。

(a)　二重譲渡型

まず、二重譲渡型としては、AがBに甲土地を譲渡し、Bは引渡しを受け占有し続けていたが未登記であったところ、その後AがCにも甲を譲渡したというケースが典型例である。このあと、Bが時効取得するための所定の要件を満たしつつ必要な期間占有し続けたとすれば（自己物の時効取得、最判昭和42・7・21民集21巻6号1643頁）、ルール②によると、BはCに対して登記がなくても対抗できることになる。

しかし、そもそも、二重譲渡型の事例においては、Bは登記をしようと思えばできたはずの立場にあった。それにもかかわらず177条の適用がないとすれば、Bは自分が未登記であることによって受けるはずの不利益につき、時効制度によって救われることになる。二重譲渡の場面は、177条の適用が予定されているまさに本来的なパターンである。その後、取得時効が絡んできたとはいえ、二重譲渡事例で登記を考慮しないのは不合理ではないか。そこで、類型論に立つ論者は、二重譲渡が事の発端となっている場合には、177条の適用があり、登記を基準としてBC間の優劣関係が決定されるべきであると主張する。ただし、Cが登記した後、Bがさらに時効取得に必要な要件を備えつつ時効期間が経過した場合には、Bは登記を具備していなくてもCに対抗できる（ルール⑤）。

(b)　境界紛争型

これに対して、境界紛争型のケースは、二重譲渡型とは状況が大きく異なる。境界紛争型の事例として挙げられる典型例は、Aが甲土地の所有者で、Bがその隣地である乙土地の所有者である場合に、お互いに認識することなく、Bが実際には越境してA所有の甲の一部を占有し続けていたところ、Aが甲を全体としてCに処分した際にはじめてBが甲の一部を占有し続けていたことが関係者間において発覚したというものである。

この場合、Bの時効完成後にCが登場したとすると、ルール③によれば、Bは登記がなければCに対抗することができなくなる。しかし、この結論は不当である。なぜなら、Bは自らが越境して他人の物であるA所有の甲の一部を占有しているとはそもそも認識しておらず、まさに自分の土地として、すなわち乙の一部であると誤信して、占有し続けていたのである。このため、実際には甲の一部であるＢの占有部分に関して、Ｂ自身が登記をしようと思いいたることはできない。Ｂは自らが占有する部分もすべて含めて乙としてすでに登記されていると思っていたのである。

したがって、境界紛争型のケースにおいては、Ｃの登場時期を問うことなく、Ｂは時効完成のための要件をすべて満たしていさえすれば、登記を要することなくＣに対抗しうると解すべきことになる。

(3) 判例の対応

近時の判例は、この一連の問題を、後述する177条の第三者の範囲の問題として扱い、第三者の背信的悪意者性をより認めやすくする解釈論を展開することで解決を図った（最判平成18・1・17民集60巻1号27頁）。本来であれば、背信的悪意者の認定は、第三者が悪意対象事実である時効取得者の存在を認識しており、かつ、その第三者の権利取得態様に背信性が認められることによって行われる。しかし、判例は、所有権の時効取得の事案に限定して、悪意の対象を、多年にわたり不動産を占有している事実で十分であるとした。これにより、第三者が背信的悪意者と判断される可能性が相対的に高まることになり、その反面、時効取得者が保護される場面が増えることになる（→70-71頁）。

5　対抗法理と無権利法理

これまで検討してきたように、さまざまな原因に基づいて物権変動が発生し、また、第三者の現れる時期に応じて問題の処理の仕方や結論が異なっていることがわかる。重要なことをここでまとめると、以下のとおりとなる。

二重譲渡あるいはそれに類似した関係は対抗問題として処理され、登記が必要とされる（177条）。判例のいう復帰的物権変動の場面を想定するとよい。これに対して、有力説の立場に立って、取消しの遡及的無効を重視して二重譲渡類似の関係を見出さない場合には、無権利法理が採用され、紛争解決の基準として登記は要求されない。

一方で、対抗法理が適用される場面は、相容れない複数の物権変動間の優劣をどのように決すべきかというものであり、他方で、無権利法理が適用されるのは、無権利者との取引を行った第三者（本来は無権利者）と真の権利者との調整の場面である。

優劣判断の基準として登記を用いるためには、登記可能性が当事者に認められなければならない。登記したくてもできない状況にあった者に、登記の具備を強制することはできないからである。したがって、たとえば、取消しをした者には登記可能性があり、177条適用の基礎が認められるが、境界紛争型の時効取得者には登記可能性がないため、同条を適用することはできないといえる。

Ⅲ　第三者の範囲

ＡＢ間で売買契約があり、買主Ｂが売主Ａに対して自らの所有権取得を主張するのであれば、登記は必要ない。ＡはＢからすれば当事者であって、第三者ではないからである。また、売買契約締結後にＡが死亡しＣが包括承継した場合にも、ＢはＣに未登記で物権変動の発生を主張することができる。

さらに、Ａから甲の譲渡を受けたＢが未登記の間に、Ｃが甲を不法に占有し、書類を偽造して違法に登記名義を自己のものにしたとする。この場合に、いかなる者も177条の第三者に当たるとの立場を採ると、未登記のＢはＣに対抗できないことになる。しかし、この結論は不当であろう。

以上のように、177条の第三者の範囲について、判例は制限説を採っている（大連判明治41・12・15民録14輯1276頁）。判例によれば、第三者とは、①当事者およびその包括承継人ではなく、かつ、②不動産に関する物権変動の登記がなされていないことを主張するにあたって正当な利益を有する者とされる。

それでは、制限説を採用したとして、どのような基準で第三者を制限すればよいのか。第三者が物権取得者か債権者かといった具体的な立場について考えるのが、第三者の客観的範囲の問題である。これに対して、第三者が善意か悪意かに着目して考えるのが、主観的範囲の問題である。

1　客観的範囲

(1) 肯定例

(a) 物権取得者

所有権をはじめとして、地上権、永小作権、地役権、質権および抵当権を取得した者は、客観的な観点から第三者に該当するとされる。このうち、権利の取得原因に関してもとくに制限はない。相続や時効取得のように、意思表示以外の原因に基づく取得であってもよい。

たとえば、ＢがＡから甲土地の譲渡を受けたが、未登記の間に、ＣがＡから甲の地上権の設定を受け、その旨の登記も経由したとする。この場合、Ｂは、所有権についてはＣと対抗関係に立つことがないので、未登記であっても、自らの所有権をＣに対して主張できる。しかし、Ｂが所有権の移転登記を経由する前に、Ｃが地上権の登記を具備したため、Ｂは所有者ではあるが、Ｃが地上権に基づいて甲を利用することを認めなければならない。つまり、Ｂは、地上権の負担のない所有権を取得したことを、Ｃには対抗できない。土地利用の局面では、ＢとＣは対抗関係に立つのである。

(b) 賃借人

このように地上権者も第三者の範囲に入ってくる。しかし、そうすると、同じく利用権を有する賃借人はどのように扱われるべきか。たしかに、賃借権は債権であり物権ではない。しかしながら、不動産の利用権者という点では地上権者と同じ立場にあるともいえる。賃借人が絡む問題は、次のように２つの場面に分けて検討される。すなわち、賃借権それ自体の存在について争われている場合と、賃借権自体の存在を前提とした上で所有者が賃貸人として権利行使をする場合である。

(i) 賃借権自体が争われている場合　賃借権それ自体の存在が争われている場合、判例は、賃借人は第三者に該当するという（大判昭和８・５・９民集12巻1123頁）。ＡがＢに甲土地を賃貸していたところ、ＡがＣに甲を譲渡し、ＣがＢに対して甲の返還を求める場合、Ｃは登記を備えていなければならない。

(ii) 賃貸人としての権利行使が問題となっている場合　乙建物の所有者Ａが賃貸借契約に基づいてＢに乙を賃貸していたところ、ＡがＣに乙を譲渡したとする。Bが乙を占有していることによって賃借権の対抗要件を備えている場合に、乙の所有権が譲渡されると、賃貸人の地位も新所有者Cに移転する(605条の2第1項)。ここで、Cが賃貸人としての権利をBに対して行使しようとする場合にも、結論として、判例は対抗関係であると述べ、登記が必要であるとしている(最判昭和49・3・19民集28巻2号325頁)。

Bは賃借人として賃料を支払わなければならない。しかし、B自身が知らない間に、当初の賃貸人Aからその立場がCに移転することがありうる。そうすると、Bは、自らが契約を締結した者とは異なる者から賃料請求を受ける可能性があるが、その請求者が真の賃貸人であるかどうかがすぐにわかるとは限らない。この場合に、債権譲渡の対抗要件(467条)や受領権者としての外観を有する者に対する弁済(478条)の規定を用いることも可能ではある(→詳しくはNBS『債権総論』で学ぶ)。しかし、467条2項が定める確定日付ある証書(内容証明郵便など)よりも登記のほうが画一的で明らかであるし、478条の保護を受けるには、Bが善意無過失でなければならない。そこで、この場面においても登記が利用される必要性がある(605条の2第3項)。

ただし、この場合のBC間の関係は、対抗関係とはいえない。CはBの賃借権の存否について争っていないからである。問題となっているのは、Bの賃借権を前提として、賃貸人Cが未登記であってもBに対して賃料請求や解除権の行使などの賃貸人としての権利を主張することができるかである。したがって、この場面で用いられる登記は、権利保護資格要件としての登記とみるべきである。

(c) 差押債権者

たとえば、AがBに甲土地を譲渡したが、Bが未登記の間に、Aに対して貸金債権を有しているCが甲をAが所有する物として差し押さえたとする。この場合に、Bは未登記であってもCに対して第三者異議の訴え(民執38条)を提起して強制執行の不許を求められるか。

判例は、差押債権者Cも177条の第三者に当たると解している(前掲最判昭和39・3・6)。Cが差押えをすることによって、特定物である甲を具体的な債権回収の対象とすることになる。したがって、未登記のBは第三者異議の訴えを提起することはできず、Cの差押えは有効なものとして確定する。

なお、一般債権者のままでは第三者に該当しないとされる。差押債権者とは異なり、一般債権者は、債務者が有する特定の財産を直接支配しているわけではなく、単に債務者の責任財産に対して潜在的な支配可能性を有しているにすぎないからである。

(2) 否定例

それでは、いかなる者が第三者に当たらないか。

(a) 実質的無権利者

まず、実質的無権利者が第三者に該当しないことは、当然である。例として、ＢがＡから甲土地の譲渡を受けた後、Ｃが必要書類を偽造してＡの同意を得ることなく勝手に自らの名義で登記を経由した場合を挙げることができる。このケースでは、ＡＣ間で有効な譲渡が存在していない。したがって、Ｃは登記を具備していても実質的には無権利者であって、その登記も有効要件を欠き、無効である（→86-87頁）。このようなＣに対して、Ｂは未登記であっても自らの所有権を主張することができる。

(b) 不法行為者と不法占有者

実質的無権利者に類する例として、不法行為者や占有権原のない不法占有者も挙げることができる。Ａから乙建物を譲り受けたＢが未登記であっても、乙に放火をしたＣに対して、Ｂは所有者として不法行為に基づく損害賠償請求（709条）をすることができる。もちろん、不法行為者も、誰に対して賠償すべきかを知ることについて利益を有する。しかし、このケースにおいて、Ｂが未登記であることをＣが主張して、Ｃが不法行為責任を免れられるとするのは不当であろう。

また、甲土地をＣが不法占有している場合に、Ｂは未登記であっても物権的請求権や損害賠償請求権をＣに対して行使できるとすべきである。したがって、この場合にも、Ｃは177条の第三者に該当しない（最判昭和25・12・19民集４巻12号660頁）。

2　主観的範囲

(1)　問題の所在

177条の第三者については、その主観的範囲も問題になる。具体的には、AB間の第一譲渡の存在を知っている悪意の第二譲受人Cも177条の第三者に含まれるかという問題である。

177条の文言上、第三者の主観的要件に制限はない。このため判例は、原則として、第三者が悪意か善意かを問うことをしない（大判大正10・12・10民録27輯2103頁）。制限する明文の規定がないことに加えて、対抗問題を画一的に処理することの重要性を挙げている。すなわち、悪意の第三者を177条の第三者から除外すると、取引が滞ることが予想されるというのである。また、判例は、177条の存在自体が不動産取引における自由競争（→72頁）を是認しているとも解している。したがって、悪意の第三者であっても177条の第三者に該当する。

(2)　背信的悪意者排除論

しかし、判例は、悪意の第三者のうち背信性を有する者については、これを177条の第三者から排除するという理論構成を採用している（最判昭和43・8・2民集22巻8号1571頁）。いわゆる背信的悪意者排除論である。

問題は、どのような者が背信的悪意者とされるかである。判例による背信的悪意者排除論の確立は、公序良俗違反などの一般法理を前提として行われてきたという背景があるため、背信性判断の基準は明確ではない。ただし、背信的悪意者に該当しうる例を、ある程度類型化することは可能である。甲土地に関して、Aを譲渡人、Bを第一譲受人、Cを第二譲受人とし、Cが登記を先に備えた場合を例にして考えていこう。

(a)　不動産登記法5条該当者に類似する者

不動産登記法は、手続法でありながら、登記がないことを主張できない第三者の類型を定めている（不登5条）。すなわち、詐欺または強迫によって登記の申請を妨げた第三者（同条1項）と、他人のために登記を申請する義務を負う第三者（同条2項）である。これらに該当する第三者は、177条の第三者から排除される。

そして、これらに直接該当するわけではないが類似するCを、背信的悪意者として177条の第三者から排除すべきとする見解が定着している。まず、CがBの登記を妨害している間に自ら登記を経由した場合が挙げられる（最判昭和44・4・25民集23巻4号904頁）。これは、不動産登記法5条1項の趣旨と関連する。同じく、同条2項に関連するケースとして、Cが第一譲渡に立会人としてかかわっていた場合がある（最判昭和43・11・15民集22巻12号2671頁）。これらの例は、背信的悪意者排除論が確立される前からCを排除するために用いられていた理論構成であった。現在では、背信的悪意者排除論の枠内で論じられることになる。

(b) 実質的な当事者性が認められる者

CがAの妻であるなど、密接な人間関係がAC間に認められる場合、実質的にいずれも当事者として把握されるべきではないか。この場合、CがBとの関係で背信的悪意者として認定されることがある。

(c) 害意を有する者

CがBに対してもともと恨みをもっているなど、害意を有しており、その目的を達成するためだけに甲の譲渡を受けて登記を具備した場合である。公序良俗に反する場合（90条）はもちろん、公序良俗違反の要件を満たさなくても、Cが背信的悪意者として認定される可能性がある。

(d) 近時の判例

近時、2つの興味深い判例が登場している。いずれの事案も、公道に出るための通行権の存否が問題となったという点で、事実関係に共通性が認められる。

(i) 通行地役権のケース　1つ目は、通行地役権（→190頁）が対象となったケースである。Aが所有する甲土地に対して、Bが通行地役権を有し、甲の一部を通路として利用していたが、その地役権について未登記であった。その後、承役地である甲がAからCに譲渡され、Cは所有権移転登記を経由した。そこで、地役権に関して対抗問題が発生した。

判例は、①通行地役権の承役地が譲渡された時点で、承役地が継続的に通路として使用されていることが客観的に明らかであり、②譲受人がそのことを認識していたか認識することが可能であったときは、譲受人は、通行地役権が設定されていることを知らなかったとしても、特段の事情がない限り、地役権設定登記の欠缺を主張することについて正当な利益を有する第三者に当たらないと解した（最判平成10・2・13民集52巻1号65頁）。

ここで注目すべきなのは、このケースにおいては、第三者が背信的悪意者でなくても、信義則違反を直接の根拠として、その第三者を177条の適用外として扱うことができるとした点である。CがBの地役権の存在について悪意であることは要求されないということになる。

ただし、この判例は背信的悪意者排除論を適用したわけではないと明確に述べている。この事案では、Cは、地役権が設定されていることを認識していなかったため、背信的悪意者排除論を適用することができなかった。しかし、通路の存在については認識可能であった。Cは、それにもかかわらず、承役地を譲り受けたのである。そこで、背信的悪意者排除論とは別の法理を用いたのであった。この判例の射程は、通行地役権が問題となっているケースに限定されると解すべきであろう。

(ii) 所有権の時効取得のケース　次に、2つ目の注目すべき判例として、時効取得が関連したケースがある。Aが所有する甲土地の一部につき、隣地乙を所有しているBが自らの土地であると信じて、それを通路として占有を続けていたところ、時効取得の要件を満たし、所有権を取得したが、未登記であった。その後、Cが甲全体の所有権の譲渡を受け、その旨の登記を経由した。そこで、Bが時効取得した甲の一部について、Cとの関係で対抗問題が発生した。

このケースにつき、判例は、①Cが甲の譲渡を受けた時点において、Bの多年にわたる占有の事実を認識しており、②CがBの登記の欠缺を主張することが信義に反するときは、Cは背信的悪意者に当たると解した（前掲最判平成18・1・17）。

ここで注目すべきなのは、第三者の悪意の対象である。本来であれば、その対象となる事実は、問題となっている権利自体、言い換えれば、その権利の存在を根拠づける要件であるはずである。しかし、判例は、取得時効の場面に限定してはいるが、その悪意の対象事実として、Bが多年にわたり目的物を占有している事実で足りると解した。このことは、背信的悪意者性を認定するにあたって、そのうちの悪意認定の基準を緩和したといえる。

(e) 転得者

以上のように、判例は背信的悪意者を177条の第三者から除外しているが、その背信的悪意者からさらに転得者が現れた場合はどうか。例として、Aの所有する甲がBとCに二重譲渡され、Cが先に登記を備え、さらにDに所有権を譲渡したとする。

判例は、Bとの関係で、CとDそれぞれが背信的悪意者であるかどうかを個別に判断し、Dが背信的悪意者でないのであればBD間は対抗関係となり、Bは未登記のままではDに対抗することができないとの立場をとる（最判平成8・10・29民集50巻9号2506頁）。各人ごとに背信的悪意者かどうかを判断するため、相対的構成とよばれる。

この考え方は、Cが背信的悪意者であっても、AC間の第二譲渡が無効にならないことを前提とする。すなわち、AC間の譲渡は有効であり、CはBとの関係においてのみ自らの権利取得を主張することが封じられるのであって、無権利者ではない。したがって、CはDに有効に甲を譲渡することができる。判例は、Cが背信的悪意者であっても、AC間の法律行為を有効なものとして扱っているのである。

なお、Dが保護されるにあたって、DがBに対抗するためにD自身が登記を具備していなければならないかについては、争いがある。判例は、Dの登記が完了していることを要求しているようであるが、Cが登記を備えていれば、DはCの登記を援用できると解する見解もある。

善意者から背信的悪意者が譲り受けた場合

それでは、逆に、Cは善意者であったが、Dが背信的悪意者であった場合はどうか。この場合にも相対的構成を採用してしまうと、Dが背信的悪意者である以上、BD間の関係においてBは未登記で権利取得を主張できることになる（東京高判昭和57・8・31下民集33巻5=6=7=8号968頁）。その結果、Dは権利を有効に取得できなかったことになるので、Cに対して解除権を行使することが考えられる（540条以下）。

しかし、この結論は不当ではないか。Cは転売先のDの主観的要素につき調査をし、Dが背信的悪意者ではないことを確認した上で譲渡しなければならなくなるからである。CがＡＢ間の第一譲渡につき善意の場合には、そもそもそのような調査と確認をせよといってもCには不可能である。

そこで、このパターンにおいては、絶対的構成を採用し、善意者Cが登場した時点で、Cが権利者として確定され、その後の転売先であるD以降の者の中に背信的悪意者が現れたとしても、Bはもはや権利取得を主張できないとする見解（絶対的構成）が有力である。たしかに、この説に立つと、背信的悪意者Dが善意者Cを取引に介在させることで権利関係を確定させようとする可能性がある。しかし、この場合には、法人格否認の法理を適用して、Cを独立した法人格とはとらえないとする方策が考えられる。

(3) 単純悪意者排除説

(a) 自由競争への疑問

悪意者も背信的悪意者ではない限り177条の第三者に該当するという判例の見解には、反対説もある。背信的悪意者排除論と区別して、単純悪意者排除説と称される。この見解によれば、悪意の第三者に対しては未登記であっても対抗できることになる。

単純悪意者排除説の理由として、自由競争に対する疑問が挙げられる。判例は、177条が存在する以上、自由競争は是認されていると解するのであるが、本当にそうなのだろうか。ここで重要なのは、悪意と自由競争の意義である。そこで、不動産の売買契約の履行過程を例にとって、その進展具合に着目しつつ考えてみよう。

(b) 第一契約が成立しただけの例

ＡがＢとの間で甲土地を3000万円で売却する契約を締結した。このことを聞きつけたＣが甲を現地確認したところ、4000万円を支払ってでも甲を手に入れることにメリットがあると思うにいたった。Ｃは、Ｂが先にＡとの間で売買契約を締結していたことを知ってはいたが、Ｂがまだ代金を支払っておらず、甲の引渡しや登記名義の移転も受けていなかったこともあり、自分にもまだチャンスがあると考え、積極的にＡと交渉し、その結果、ＡはＣに甲を4000万円で売却することを新たに決意した。

この例におけるCは、ＡＢ間の売買契約の締結につき悪意である。また、ＡＢ間で売買契約が先に締結された以上、もはや自由競争の場面は終了していると解することもできる。そうすると、一方で、ここでのCを177条の第三者から排除するという解釈論も成り立ちそうである。

しかし、他方で、この状況はまだ自由競争の範囲内であるともいえよう。というのは、ＡＢ間で売買契約がすでに締結されたとはいっても、契約が公正証書によってなされたわけでもなく、代金支払や甲の引渡しといった具体的な履行もまだなされていないからである。つまり、Ｂには具体的な利益がまだ発生していない。このように解することができれば、本事例における悪意のCは保護されるべきということになる。そして、Cが先に登記を具備すれば、Ｂが甲を取得することは不可能となる。

(c) 第一契約の履行が進んでいる例

しかし、例を変えて、Ｂは未登記であるがすでに代金をＡに完済していたり、甲の占有利用を開始していたりしたとすればどうか。この場合であっても、CがAを説得して新たな売買契約を締結させ、登記を先に備えることをもって、Ｂを排除することが許されるのか。判例はこの場合でも、Cに背信性がない限りは、Cは第三者に含まれるとしてCを保護しているが、第一契約の履行がここまで進んでいると、もはや自由競争の範囲を逸脱していると評価できるのではないか。もちろん、登記を具備していなかったＢにも責められるべき要素はある。しかし、自由競争の名のもとに、登記を備えるまでの間であれば常に取引可能性が開かれていると評価することに対しては、疑問の余地がある。

背信的悪意者排除論と単純悪意者排除説の悪意

背信的悪意者と単純悪意者の区別が実際には困難なのではないかという点も、単純悪意者排除説の根拠とされる。たしかに、判例のいう背信性は規範的要件であり、その内容は明らかとはいいがたい。しかし、単純悪意者排除説のいう悪意も、背信性と無関係の単なる知または不知という意味で用いられているのかといえば、必ずしもそうではない。

もっとも、背信的悪意者排除論における背信的悪意者認定にとって重視されている要素は、悪意とそれに追加される背信性である。まずもって悪意そのものを対象とする単純悪意者排除説の思考方法とは、やはり異なっているというべきであろう。

IV　無権限取引からの第三者保護

Ａが所有する甲土地につき、なんら権利を有しないＢが買主Ｃとの間で売買契約を締結し、ＣがＢに売買代金を支払ったとしても、Ｃは甲を取得することは原則としてできない。無権利者ＢからＣはなんの権利も取得することはできない。しかし、Ｂが甲の所有者として登記されていたとすればどうか。その登記をＣが信頼して、Ｂが甲の真の所有者であるにちがいないと誤信し、ＣがＢと売買契約を締結していた場合、Ｃは保護されてよいようにも思われる。ただし、このケースは対抗問題ではない。したがって、177条の問題とはならない。ここでのＣを保護するためには別の法理が必要となる。

1　94条２項類推適用

この場合に、どうすればＣを保護できるか。登記に公信力があれば、Ｃはそれに基づいて保護を受けることができる。たとえば、ドイツ法は登記に公信力を明文で認めている。しかし、わが国では、動産の占有とは異なり（192条）、不動産の登記に公信力は認められていない（→32-33頁）。公信力は無から有を生じさせる制度であるため、法の原則から大きく逸脱している。このため、明文規定がない限り、公信力を認めることは困難であると考えられている。

そこで、わが国においては、無権利者と取引をしたＣを保護するための方法として、権利外観法理の適用が主張されている。とりわけ、94条２項がその法理をもっとも具体的に表現している規定であるとして、これを一般化して類推適用することが、判例と通説において認められている。

ただし、94条２項の類推適用によってＣが保護されるとしても、登記に公信力が認められたのとまったく同じ状況になるわけではない。それぞれの要件が異なるからである。とりわけ、真の権利者による外観作出についての帰責性が、94条２項の類推適用にあたって重要な要件となることを忘れてはならない。これに対して、登記に公信力が認められるドイツ法においては、Ｂ名義の登記が作出されてその後も存在していることについて、Ａにまったく責任がない場合でも、Ｃは保護される可能性がある。

2　具体例

以上のことを前提に、94条２項が類推適用された具体例につき、判例に登場してきた事案を参考にしながら考えてみよう。

(1)　外形作出型

Ａから甲土地を買い受けたＢが、Ｃと相談して、Ｃが甲を買い受けたこととし、ＡからＣに甲の移転登記を直接行った。そして、Ｃ名義の登記をそのままにしていたところ、Ｃ名義の登記を信頼してＣが真の所有者であると誤信したＤが現れ、ＣＤ間で甲に関する売買契約が締結された。この場合、94条２項を直接適用することはできない。なぜならば、ＢＣ間で意思表示がなされたわけではないからである。しかし、真の所有者であるＢがＣと相談した上で無権利者Ｃ名義の登記が作出され、その登記を第三者Ｄが信頼したという事実関係を考えてみると、Ｂに外観作出への関与が認められるため、実質的には通謀虚偽表示のケースと変わらないと解される（最判昭和29・８・20民集８巻８号1505頁）。

また、真の所有者ＡがＢの知らない間に勝手にＢ名義で移転登記をなし、第三者ＣがＢ名義の登記を信頼したケースにも、この判例理論は適用された（最判昭和45・７・24民集24巻７号1116頁）。これにより、ＡＢ間に通謀の外形すら必要ないということが明らかとなった。重要な要件は、登記名義の作出という外観に対する真の権利者の関与なのである。

(2)　外形承認型

ＡはＢ名義の登記の作出自体には関与しなかったが、Ｂ名義の登記を認識した後も同登記の存在を承認していたところ、第三者Ｃが現れた場合はどうか。このケースについても、判例は、94条２項の類推適用を認めた（最判昭和45・

9・22民集24巻10号1424頁)。不実の登記が真の所有者Aの承認を得た上で存続していることは、Aが積極的にB名義の登記を作出した場合と、Aの帰責性において異ならないからである。

ただし、この判例の事案は、BがAの実印を勝手に用いてB名義の登記を作出した後、AとBは婚姻し、さらにAは、D銀行から甲土地を担保に借り入れを受ける際にもB名義の登記をそのままにしていたというものであった。AB間の婚姻関係を考えれば、Aに帰責性ありと解するのは困難といえよう。しかし、Aが、Dから借り入れを受ける時点においてもB名義の登記を自己に戻さなかったことが、Aの帰責性の根拠となった。

(3) 外形一部作出型

このように、94条2項を類推適用することによって、無権利者と取引を行った第三者が保護されるケースは拡大されてきている。さらに、判例は、110条を合わせて利用しながら第三者の保護を図ることも認める。その具体例として挙げられるのが、甲の真の所有者Aの同意を得て、甲の引渡請求権を保全するための仮装の仮登記(→81-82頁)がB名義でなされたところ、Aの許可を得ることなくBが自ら仮登記を本登記にし、Cとの間で甲についての売買契約を締結したというケースである。

この事案では、仮登記という外観作出についてAの関与が認められるが、本登記についてはAは関与しておらず、その本登記をCが信頼したにすぎない。しかし、判例は、このケースでもCを保護することを明らかにした。ただし、94条2項と110条の法意に照らしてCを保護するという、これまでの94条2項のみの類推適用とは異なる手法を採用した(最判昭和43・10・17民集22巻10号2188頁)。

ここで留意すべきことは、2点ある。第1に、仮登記という外観と、本登記という外観は異なるということである。Aが関与したのは仮登記という小さな外観に対してのみであったが、Cが信頼したのは、AではなくBが作り出した本登記という大きな外観である。ここに、これまでのケースとの違いがある。そこで、判例は、権限外の行為の表見代理の規定である110条を引き合いに出して、94条2項と組み合わせることによって、Cの保護を試みた。しかし、本事案は代理行為に類似しているわけではないことから、類推適用ではなく法意という文言を用いた。

第２に、110条を利用することから導かれるのは、Ｃを保護するための要件として善意のみならず無過失までも要求されることである。少なくとも判例理論では、直接適用と類推適用にかかわらず、94条２項が適用される場合のＣを保護するための要件は善意のみで足りるとされていたところ、110条も合わせて適用される場合には、その要件がより厳しくなったといえる。このことは、外観作出に対するＡの関与の程度を考慮すると、バランスのとれた解釈論であるといえる。

⑷　外形与因型

さらに、近時、94条２項と110条を類推適用することによって処理を行う判例が現れている。この事案は、真の所有者Ａが虚偽の外観を作出したわけではなく、かつ、その虚偽の外観を承認していたわけでもなかったが、Ｂに対して事前に実印や印鑑登録証明書、登記済証（→83頁）を交付し、Ｂが甲の登記申請書に押捺する際にもなにも問いただすことなく漫然とこれを見ていただけで、外観作出の原因を与えてしまっていたというケースであった。意思的関与がないという点で、これまでの類型に当てはまらない事案である。

判例は、このケースに関して、Ｂが虚偽の外観を作出することができたのは、Ａがあまりにも不注意な行為をしてしまったからであり、Ａの帰責性の程度は自らが外観を作出したりその外観を承認したりした場合と同視できると解して、94条２項と110条を類推適用し、Ｃの善意無過失を要件としつつ、Ｃを保護する可能性を認めた（最判平成18・２・23民集60巻２号546頁）。Ａの行為が代理権授与行為に相当しており、かつ、Ｃに無過失要件を課すために、94条２項とともに110条が類推適用されたと考えられる。

V　不動産登記

1　登記記録

(1)　物的編成主義

登記記録は各不動産に用意される。つまり、一筆の土地または1棟の建物ごとに、1つの登記記録があてられる（不登2条5号）。土地は地表であるから、陸地が続いている限り、境界が自然に発生するわけではない。ここに、1つの物としての存在が明確な建物や動産とは異なる特徴がある。そこで、人為的に土地を一定の範囲で区切ることが必要になる。1つの不動産登記の対象である1つの土地として限定された範囲の土地のことを、一筆の土地という。

対象となる物に応じて登記記録が編成されていることから、これを物的編成主義という。ドイツの土地登記法にならった編成方法である。これに対して、権利者ごとに登記記録を編成する方法もありうる。フランス法はこの人的編成主義を採用していた。一般には、権利者よりも不動産に対して関心をもって取引に入ることが多いであろうから、物的編成主義によった登記記録のほうが参照する際に便利である。しかし、人的編成主義によっても、別途、権利者と不動産との対照表を用意するなどして、登記記録の閲覧性を高めることができる。ただし、検索を容易に行うことのできる電子情報システムが確立されている現代においては、物的編成主義と人的編成主義の区別は相対的なものにすぎなくなっている。

(2)　様式

登記記録は、表題部と権利部に分けられる【図表4-6・図表4-7】。

(a)　表題部

表題部は、どの不動産が当該登記記録の対象物なのかということをあらわしている。表題部は、表示に関する登記と同義である（不登2条3号・7号）。具体的には、土地については、その所在、地番、地目、地積など（同34条1項）、建物については、その所在地、家屋番号、種類、構造、床面積など（同44条1項）が記録される。これにより、目的不動産の客観的な状況を把握することが

【図表4-6】 登記事項証明書（土地）の例（法務省のホームページにある見本をもとに作成）

表題部 （土地の表示）		調製	余白	不動産番号	００００００００００００００
地図番号	余白	筆界特定	余白		
所在	特別区南都町一丁目			余白	
①番地	②地目	③地積 m²		原因及びその日付〔登記の日付〕	
１０１番	宅地	３００ ００		不詳 〔平成２０年１０月１４日〕	
所有者	特別区南都町一丁目１番１号 早稲田 太郎				

権利部（甲区）（所有権に関する事項）			
順位番号	登記の目的	受付年月日・受付番号	権利者その他の事項
1	所有権保存	平成２０年１０月１５日 第６３７号	所有者 特別区南都町一丁目１番１号 早稲田 太 郎
2	所有権移転	平成２０年１０月２７日 第７１８号	原因 平成２０年１０月２６日売買 所有者 特別区南都町一丁目５番５号 慶 應 花 子

権利部（乙区）（所有権以外の権利に関する事項）			
順位番号	登記の目的	受付年月日・受付番号	権利者その他の事項
1	抵当権設定	平成２０年１１月１２日 第８０７号	原因 平成２０年１１月４日金銭消費貸借 同日設定 債権額 金4.０００万円 利息 年2.6０％（年３６５日日割計算） 損害金 年１４.５％（年３６５日日割計算） 債務者 特別区南都町一丁目５番５号 慶 應 花 子 抵当権者 特別区北都町三丁目３番３号 株式会社上智銀行 （取扱店 南都支店） 共同担保 目録（あ）第２３４０号

共同担保目録			
記号及び番号	（あ）２３４０号	調製	平成２０年１１月１２日
番号	担保の目的である権利の表示	順位番号	予備
1	特別区南都町一丁目 １０１番の土地	1	余白
2	特別区南都町一丁目 １０１番の土地 家屋番号１０１番の建物	1	余白

これは登記記録に記録されている事項の全部を証明した書面である。

平成２７年４月１日
関東法務局特別出張所　　登記官　　日 評 大 輔　　電子公印

＊ 下線のあるものは抹消事項であることを示す。　　整理番号 D２３９９２（1/1） 1/1

【図表4-7】 登記事項証明書（建物）の例（法務省のホームページにある見本をもとに作成）

表　題　部　（主である建物の表示）			調製	余　白	不動産番号	0000000000000
所在図番号	余　白					
所　　在	特別区南都町一丁目　１０１番地				余　白	
家屋番号	１０１番				余　白	
①　種　類	②　構　造	③　床　面　積　m²			原因及びその日付〔登記の日付〕	
居宅	木造かわらぶき２階建	１階　８０：００ ２階　７０：００			平成２０年１１月１日新築 〔平成２０年１１月１２日〕	

表　題　部　（所属建物の表示）				
符　号	①種　類	②　構　造	③　床　面　積　m²	原因及びその日付〔登記の日付〕
１	物置	木造かわらぶき平家建	３０：００	〔平成２０年１１月１２日〕
所　有　者	特別区南都町一丁目５番５号　慶　應　花　子			

権　利　部　（甲　区）　（所有権に関する事項）			
順位番号	登　記　の　目　的	受付年月日・受付番号	権　利　者　そ　の　他　の　事　項
１	所有権保存	平成２０年１１月１２日 第８０６号	所有者　特別区南都町一丁目５番５号 慶　應　花　子

権　利　部　（乙　区）　（所有権以外の権利に関する事項）			
順位番号	登　記　の　目　的	受付年月日・受付番号	権　利　者　そ　の　他　の　事　項
１	抵当権設定	平成２０年１１月１２日 第８０７号	原因　平成２０年１１月４日金銭消費貸借 同日設定 債権額　金４,０００万円 利息　年２.６０％（年３６５日日割計算） 損害金　年１４.５％（年３６５日日割計算） 債務者　特別区南都町一丁目５番５号 慶　應　花　子 抵当権者　特別区北都町三丁目３番３号 株　式　会　社　上　智　銀　行 （取扱店　南都支店） 共同担保　目録（あ）第２３４０号

共　同　担　保　目　録			
記号及び番号	（あ）２３４０号	調製	平成２０年１１月１２日
番　号	担保の目的である権利の表示	順位番号	予　　備
１	特別区南都町一丁目　１０１番の土地	１	余　白
２	特別区南都町一丁目　１０１番の土地 家屋番号１０１番の建物	１	余　白

これは登記記録に記録されている事項の全部を証明した書面である。

平成２７年４月１日
関東法務局特別出張所　　　登記官　　　日　評　大　輔　　電子公印

＊　下線のあるものは抹消事項であることを示す。　　　整理番号　Ｄ２３９９０　（1/1）　1/1

できる。

この表示登記は、当事者の申請によってなされるのが原則であるが（同16条1項）、登記官の職権によってもなされる（同28条）。次に述べる権利部の登記とは異なり、表示登記は目的不動産の権利関係を公示する性質を有しない。表示登記は、目的物の客観的状況をあらわすことを目的としており、また、固定資産税などの徴税を行うにあたって重要な資料となる。

(b) 権利部

権利部には目的不動産の権利に関する登記がなされる（不登2条8号）。権利部に登記することが認められているのは、所有権、地上権、永小作権、地役権、賃借権、採石権、先取特権、質権および抵当権の計9種類である（同3条）。このうち、所有権に関する登記は甲区と称される部分になされ、それ以外の権利に関する登記は乙区と称される部分になされる。

職権によっても可能な表示登記とは異なり、権利に関する登記を行うには当事者による申請がなされなければならない（同16条1項）。177条にいう対抗要件としての登記とは、この権利に関する登記のことを指す。

2 登記の種類

(1) 本登記

本登記とは、権利の対抗力を直接に発生させることのできる登記である。これに対して、次に述べる仮登記には、それ自体から対抗力を直接に発生させることはできない。

(2) 仮登記

仮登記とは、本登記を行う予定ではあるが、そのための要件がまだ満たされていない場合に行われる（不登105条）。本登記手続をするための書類がまだ整わない場合（1号仮登記、同条1号）と、移転請求権を保全する場合（2号仮登記、同条2号）がある。仮登記がなされた後、当該仮登記に関する本登記が行われると、その本登記の順位は仮登記の順位に従うことになる（順位保全効、同106条）。しかも、本登記と比較して、仮登記の登録免許税率は低く（本登記の半分）、かつ、仮登記権利者が単独で申請することができるという点で手続も簡便である（同107条）。

たとえば、所有者Ａとの間で甲土地の売買契約を締結したＢが、甲の引渡請求権を保全するための仮登記をした後に、ＡがＣに甲を二重譲渡し、ＣがＢより先に本登記を備えたとする。この場合においても、Ｂは仮登記に基づいて本登記をすることができる。Ｂの本登記の順位は仮登記の順位に従う（同106条）ので、ＢはＣに優先して保護を受けられる。

3　登記手続

権利に関する登記の申請は、当事者である登記権利者と登記義務者が共同でしなければならない（共同申請主義、不登60条）。売買契約に基づく所有権移転登記の申請が、その典型例である。登記権利者とは、当該登記が行われることによって登記上の利益を受ける者のことをいい、これに対して登記義務者とは、当該登記が行われることによって登記上の不利益を受ける登記名義人のことをいう。これらは登記手続上の概念である。不利益を受けることになる登記義務者が登記申請に関与することによって、登記申請の真正性を担保することが意図されている。

しかし、この共同申請主義を貫くことができない場合もある。たとえば、登記義務者が実体法上の登記協力義務を負っているにもかかわらず、登記申請に協力しない場合には、登記権利者は訴訟を提起して判決を得ることにより、単独で登記申請することができる（同63条１項）。そして、相続に基づく登記の場合には、相続人による単独申請が許されている（同条２項）。さらに、建物新築の事例のような所有権保存登記のケースでも、そもそも登記義務者を観念することができないため（同74条１項１号）、同じく共同申請主義は妥当しない。

権利に関する登記をするかどうかは、原則として任意である。しかし、例外として、不動産所有権の相続登記については、相続人が相続開始とこれに基づく自らの所有権取得を知ってから３年以内に申請されなければならない（不登76条の２）。この申請を正当な理由なく怠ると、10万円以下の過料に処せられる（不登164条１項）。というのは、利用されていない土地について相続登記がなされない間にさらに相続が発生するなどして所有者が不明になってしまうケースが生じ、社会問題となっているからである。相続登記申請の義務化は、土地所有者不明問題を解決するための一つの対策として位置づけられる。

その上で、相続登記申請義務の履行を促すために、いくつかの方策が用意されている。まず、法定相続分に従った相続登記がなされた後に遺産分割がなされた場合には、その遺産分割の結果について登記するにあたり、登記権利者が更正登記を単独申請することができるものとされている。さらに、相続人に対する遺贈による所有権移転登記の申請も義務化されているところ、これについても単独申請することが認められている（同63条3項）。

また、この相続登記申請義務は、相続人が相続の発生と自らが相続人である旨を申告することで、履行されたものとみなされる（不登76条の3）。

登記官の審査権限

登記申請がなされると、登記官がその申請を受理するかどうか審査する。その際に審査対象とされるのは、提出された書類が形式に適っているかである。この点を捉えて、登記官は形式的審査権限のみを有するともいわれる。

ただし、登記申請において提出されるべき書類として、登記原因証明情報も含まれていることに留意しなければならない（不登61条）。登記原因証明情報とは、たとえば売買契約書などである。つまり、登記原因証明情報は実体法上の権利移転関係を示すものである。登記官は、この内容も審査することになる。そうだとすれば、実体法上の権利関係について審査する権限がないという意味で形式的審査権限という言葉を用いるのは、厳密には正しくない。あくまで、窓口的で形式的な審査しか行わないという意味で、登記官の形式的審査権限という概念を理解するべきだろう。

また、登記申請に際しては、登記識別情報も提出しなければならない（同22条）。これは、登記が完了した際に登記名義人に通知される（同21条）ものであり、12桁の英数字によって構成されている。登記申請をするにあたって、登記義務者がこの登記識別情報を提供することによって、登記義務者本人であることと、当該権利の移転を認めていることが確認される。2004（平成16）年改正前の不動産登記法の下では、紙媒体である登記済証（俗に権利証ともいわれた）が登記名義人に交付されていたが、電子申請の導入を前提とした不動産登記法の改正により、登記識別情報に改められた。

4　登記請求権

(1)　法的性質

ＡからＢに甲土地の所有権が移転しているが、登記名義はＡのもとに依然としてとどまっている場合、ＢはＡに対して自らに登記を移転するよう求めたいだろう。Ｂが未登記の間に第三者Ｃが現れて、Ｂよりも先に登記を経由すれば、ＢはＣに対して自らの所有権をもはや対抗することができなくなるからである（177条）。したがって、ＢのＡに対する登記を求める権利、つまり実体法上の登記請求権が認められなければならない。

(a)　物権的登記請求権

登記請求権が、所有権をはじめとする物権に基づいて認められるのは当然である。たとえば上記の例では、ＡからＢに対してすでに所有権の移転が生じているために、Ｂは物権である所有権をすでに有しており、まさにその所有権に基づいてＡに対して登記請求権を有するといえる。

また、物権に基づいて登記請求権が認められるということは、たとえば所有者ではないＤが書類を偽造して登記名義を経由している場合に、真の所有者であるＢがＤに対して登記請求権を有することの根拠となる。このような物権に基づく登記請求権は、物権的登記請求権と呼ばれる。

(b)　物権変動に基づく登記請求権

しかし、物権的登記請求権を認めるだけでは、次の場合に説明が困難である。たとえば、ＡからＢに甲が売却され、ＢがＣに甲を転売したが、登記はまだＡにとどまっているとする。この場合、Ｂはすでに物権を有していない。しかし、それでもなお、ＢのＡに対する登記請求権は認められるべきである。なぜならば、この場合にＢがＣから転売代金をまだ受領していないうちにＣ名義の登記がなされてしまうと、Ｂが同時履行の抗弁（533条）を使えなくなり、代金債権を確保するための方法が失われてしまうからである。

このケースにおいて、ＢのＡに対する登記請求権を根拠づけるために、登記上に物権変動の過程を正確に記録するべきとの要求を挙げることができる。すなわち、物権変動それ自体に基づく登記請求権である。

(c)　債権的登記請求権

登記請求権の根拠として、さらに当事者間の債権関係を挙げることもできる。買主から売主に対する登記請求権が、売買契約に基づいて発生すると解するのである。

(d)　議論の実益

登記請求権の法的性質論は、法律効果にも影響を与えるので、けっして無意味な議論ではない。違いが出てくるのは、とりわけ時効との関係である。債権的登記請求権は、それが債権である以上、当然に消滅時効の対象となる。したがって、所定の要件を満たした上で所定の期間が経過すれば、同請求権は時効により消滅する（166条１項)。これに対して、登記請求権の根拠が所有権である場合には、同請求権は消滅時効にかからない（166条２項の反対解釈)。

(2)　登記引取請求権

登記請求権が問題となるケースは、そのほとんどが登記名義を有する者に対して未登記の譲受人が登記を求める事案である。しかし、現に登記名義を有する者が登記名義をもはや有していたくないと考える場合もある。たとえば、AB間で甲土地に関して売買契約が締結され、甲の引渡しと代金の支払もすでになされ、残すところ登記の移転のみとなっているにもかかわらず、買主Bが登記を経由しようとしない場合である。

この場合、Bに登記を引き取ってもらうよう請求できる権利がAに認められる必要がある（最判昭和36・11・24民集15巻10号2573頁)。というのは、そうでなければ、登記名義はいつまでもAのもとにとどまることになり、土地工作物責任（717条）や固定資産税の納税義務などの不利益を、Aが負担することになってしまうからである。

5　登記の有効要件

なされた登記が有効であるためには、その登記が手続法上適法になされたものでなければならず、かつ、実体法上の権利関係とも合致していなければならない。登記官の審査権限は手続法上の要件が充足されているかどうかに及ぶし、また、実体法上の権利関係と登記に不一致がないかどうかについても、提出された登記原因証明情報を通じてある程度確認することができる。しかし、それでもなお、手続法上不適法な登記、あるいは、実体関係に合致しない登記がなされてしまうのを完全に阻止することはできない。

(1) 形式的有効要件

形式的有効要件が問題になるケースとして、実体法上の権利関係には合致するが、手続法上は不適法という場合がある。たとえば、買主Ｂがすでに完全に所有権を取得しているが、売主Ａが登記手続に協力してくれないために、業を煮やしたＢが必要書類を偽造して自らの登記を経由したという場合である。この場合、特段の事情のない限り、ＡのＢに対する抹消登記請求権は認められないとするのが判例である（最判昭和41・11・18民集20巻９号1827頁）。また、本来は売買契約に基づいて所有権の移転がなされたにもかかわらず、登記上は贈与契約に基づくものとして所有権移転登記がなされた場合も、実体法上の権利関係とは合致しているため、当該登記は有効であると解されている。

このように、かりに登記手続上不適法であっても、なされてしまった登記が実体法上の権利関係と合致していれば有効と扱われることが多い。このため、形式的有効要件は緩やかに解されているといってよい。また、適法になされ、実体法上の権利関係にも合致していた登記が、登記官の過誤により抹消されてしまった場合にも、その対抗力は失われないと解されている（大連判大正12・７・７民集２巻448頁）。

(2) 実質的有効要件

それでは、実質的有効要件が充足されていないにもかかわらず登記がなされてしまったらどうか。この場合、その登記は無効である。たとえば、実体法上の物権変動が発生していないのに登記がなされても、その登記は無効と解される。

旧登記を流用することも、原則として許されない。旧建物のための登記を、新建物のために流用することは認められない（最判昭和40・５・４民集19巻４号797頁）。しかし、判例は、旧抵当権の登記を、その抵当権が消滅したにもかかわらず新抵当権のための登記としてそのまま流用した事案において、新抵当権が設定される前に現れた第三者に対してはその登記は無効だが、設定後に現れた第三者との関係では有効とした（大判昭和11・1・14民集15巻89頁）。設定後に現れた第三者は、抵当権の登記がなされていることを確認でき、先順位の抵当権の存在を知ることができるからである。

(3) 中間省略登記

登記の実質的有効要件との関係で、ＡからＢ、ＢからＣと所有権が転々譲渡された場合に、Ｂを経由することなくＡからＣに登記を直接に移転することが認められるか。ＡがＢへの登記に応じない場合、Ｃは債権者代位権を行使して、ＢのＡに対する登記請求権を代位行使することができる（423条の７）。これにより、まずＡからＢへの移転登記がなされる。そして、Ｃは自らのＢに対する登記請求権を行使すればよい。

しかし、この中間省略登記が求められる１つの理由は、中間者Ｂを登記手続において省略することによって、登録免許税や司法書士への報酬を節約することができるという点にある。しかし、物権変動の過程を正確に跡づける必要性を考えてみると、Ｂを経由していない登記は実質的有効要件を欠き、無効であると解すべきではないか。この問題について判例は、これから中間省略登記を行おうとする場面と、すでに中間省略登記がなされてしまった場面を、それぞれ区別して扱っている。

(a) 中間省略登記請求権

これから中間省略登記が行われようとする場合、つまり中間省略登記請求権の存否が問題となる場面について、判例はこの請求権の存在を原則として認めない。実体法上の物権変動の過程を正確に跡づけていない登記だからである（最判平成22・12・16民集64巻８号2050頁）。

この点につき、ＡＢＣ間で中間省略登記を行うことについての合意があった場合には、中間者Ｂの利益を害することもないのであるから、同請求権の存在を債権的登記請求権として認めるべきであるとする見解も存在する。しかし、ＡＣ間の権利変動の根拠となる登記原因証明情報は、ＡＣ間で直接に権利変動が生じたわけではないため提出できない。それにもかかわらず、中間省略登記請求権を認めるとすれば、不動産登記法が申請に際して登記原因証明情報の提出を要求していることに合致しないと思われる。

(b) 中間省略登記の事後評価

これに対して、すでに中間省略登記がなされてしまった後の場面はどのように処理されるべきか。具体的には、なされてしまった中間省略登記の抹消を中間者Ｂは請求できるかという問題である。この点につき判例は、中間者Ｂの同意があれば中間省略登記を有効として扱う（大判大正５・９・12民録22輯1702頁）。さらに、Ｂに同登記の抹消を求める正当な利益がない場合にも、Ｂの抹消登記請求権を認めない（最判昭和35・４・21民集14巻６号946頁）。Ｂに正当な利益が認められる典型例は、ＢがまだＣから転売代金を受領していない場合である。この場合にＣ名義でなされた中間省略登記をそのまま認めてしまうと、Ｂは同時履行の抗弁（533条）を失うことになり、不当であろう。

このように判例は、中間省略登記請求権と中間省略登記の事後評価の問題を区別し、前者を厳格に、後者を比較的緩やかに解しているといえる。

6 登記の推定力

登記には、対抗力だけではなく推定力も認められる。すなわち、登記を具備している者にはその登記内容に対応した権利が帰属していることが、推定される。占有の推定力（188条）と異なり、登記の推定力については明文規定がない。しかし、登記は占有以上に公示力が高いのであるから、推定力も認められるべきである。

また、すでに登記されている権利については、登記の推定力が占有の推定力に優先すると解される（→136-137頁）。ただし、推定力を有するのは本登記だけであって、仮登記にはないとされている（最判昭和49・２・７民集28巻１号52頁）。

第５章

動産物権変動

本章では、動産物権変動について学ぶ。動産とは、不動産以外の物である（86条２項）。したがって、不動産、つまり土地およびその定着物（同条１項）以外の物は、すべて動産である。たとえば、生活に用いられる家具や衣服、事業に用いられる在庫商品や機械設備等が、その例として挙げられる。

以下では、まず、公示の原則を定める動産物権譲渡の対抗要件のルール（178条）を扱い（Ⅰ）、次に、公信の原則を定める即時取得のルール（192条以下）を扱い（Ⅱ）、最後に、動産物権変動における公示の原則と公信の原則との関係等について、検討をおこなう（Ⅲ）。

Ⅰ　動産物権譲渡の対抗要件

178条によれば、動産に関する「物権の譲渡」は、その「引渡し」がなければ、「第三者に対抗することができない」。この文言から明らかなように、動産物権譲渡の対抗要件のルールは、不動産物権変動の対抗要件のルール（177条）と、基本的に共通している。そこで、以下では、動産物権譲渡の対抗要件のルールのうち、動産物権譲渡に特有の問題を取り上げる。

１　対抗要件

(1)　引渡し

動産物権譲渡の対抗要件は、引渡し、つまり意思に基づく占有の移転である。たしかに、物権変動の公示という観点からは、引渡しよりも、登記のほうが優れている。しかし、動産は、その数が膨大である。そのため、不動産登記のように、一つひとつの物を単位として登記を編成する（物的編成主義）ことは、難しい。また、動産取引は、きわめて頻繁にされるものである。そのため、動産物権譲渡の対抗要件は、これを簡易かつ迅速に備えることができるようにする必要がある。そこで、民法は、動産物権譲渡の対抗要件を引渡しと定めている。

(a) 動産物権譲渡の対抗要件としての引渡しの方法

動産物権譲渡の対抗要件としての引渡しには、４つの方法がある。ＡがＢに対し、自分が所有し、かつ占有している絵画（甲）を譲渡した場合において、その譲渡の対抗要件を備えるために引渡しをするときを念頭に置いて、説明をおこなう。

①現実の引渡し　ＡとＢは、ＡからＢへと占有を移転する旨を合意し、ＡからＢへと甲の所持を移転することによって、引渡しをすることができる。これを、現実の引渡しという（182条１項）。

②簡易の引渡し　ＢがＡから甲を賃借してこれを利用している間に、Ａから甲の譲渡を受けることがある。このように、ＡからＢへの譲渡がされる前に、Ｂの側が甲を所持しているときは、ＡとＢは、ＡからＢへと占有を移転する旨を合意することによって、引渡しをすることができる。この方法を、簡易の引渡しという（182条２項）。同項の「譲受人」に当たるのは、Ｂである。

③占有改定　ＡがＢに対し、甲を譲渡した場合において、ＢがＡに対し、そのまま甲の保管を委ねることがある。また、ＡがＢに対し、ＢのＡに対する貸金債権を担保する目的で甲を譲渡した場合（譲渡担保〔→７頁〕）において、Ａが甲を利用し続けることもある。このように、ＡからＢへの譲渡がされる前に、Ａの側が甲を所持しているときは、ＡとＢは、ＡがＢの占有代理人として、以後Ｂのために甲を占有する旨を合意することによって、引渡しをすることができる。この方法を、占有改定という（183条）。同条の「本人」に当たるのは、Ｂであり、同条の「代理人」に当たるのは、Ａである。同条には、「代理人〔Ａ〕が……意思を表示した」とあるものの、当事者の合意が必要であるとされている。

④指図による占有移転　ＡがＣに対し、甲の保管を委ねている間に、Ｂが

Ａから甲の譲渡を受けることがある。このように、ＡからＢへの譲渡がされる前に、ＡがＣを占有代理人として甲の占有をしているときは、ＡとＢは、ＡからＢへと占有を移転する旨を合意し、ＡがＣに対し、以後Ｂのために甲を占有することを命ずることによって、引渡しをすることができる。この方法を、指図による占有移転という（184条）。同条の「本人」に当たるのは、Ａであり、同条の「代理人」に当たるのは、Ｃであり、同条の「第三者」に当たるのは、Ｂである。

②から④までの方法による引渡しでは、①の方法による引渡しとは異なり、動産の所在は、現実には動かない（→【図表5-1】）。そのため、これらの方法による引渡しは、観念的引渡しとよばれている。上記のように、③と④との方法による引渡しでは、占有代理人の概念が登場する。占有は、本人が占有代理人をとおしてこれを取得することができる（181条）。この場合において本人が取得する占有のことを、代理占有という。代理占有と占有代理人が取得する占有は、それぞれ、間接占有・直接占有とよばれることが多い（→130頁）。また、所有の意思をもってする占有のことを、自主占有とよび、そうでない占有のことを、他主占有とよぶ（→138頁）。引渡しの前と後とに分けて、関係人が有する占有を表のかたちで整理しておこう（→【図表5-2】）。

【図表5-1】 引渡しの方法

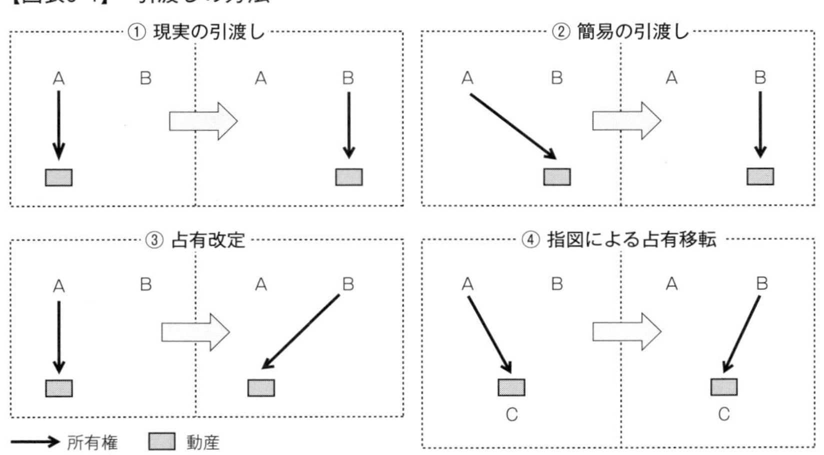

【図表5-2】

	① 現実の引渡し	② 簡易の引渡し	③ 占有改定	④ 指図による占有移転
引渡し前	A 直接・自主占有 B 占有不存在	A 間接・自主占有 B 直接・他主占有	A 直接・自主占有 B 占有不存在	A 間接・自主占有 B 占有不存在 C 直接・他主占有
引渡し後	A 占有消滅 B 直接・自主占有	A 占有消滅 B 直接・自主占有	A 直接・他主占有 B 間接・自主占有	A 占有消滅 B 間接・自主占有 C 直接・他主占有

(b) 観念的引渡しの正当化

現実の引渡しがされたときは、動産の所在は、譲渡人から譲受人へと現実に移される。これにより、譲渡がされたことが、外形上明らかとなる。これに対し、観念的引渡しがされたときは、動産の所在は、現実には動かない。そのため、観念的引渡しが178条の「引渡し」、つまり動産物権譲渡の対抗要件として認められているのはなぜなのかが問題となる。

(i) 一定の公示力　観念的引渡しにも、公示力がないわけではない。動産を譲り受けようとする者が、その動産を所持する者に対し、その動産の所有者が誰であるかについて照会をすれば、その者から回答を得ることができる。指図による占有移転では、物を所持する者は、譲渡の当事者ではないものの、債権譲渡における債務者と同じように（467条2項）、譲渡人からの通知によって、譲渡がされたことについての認識を得ている。

もっとも、この問い合わせによる公示が十分に機能するかどうかは、回答者である動産の所持者の立場による。すなわち、簡易の引渡しでは、譲渡によって利益を受ける者が動産の所持者であり、また、指図による占有移転では、譲渡によって利益も不利益も受けない者が動産の所持者である。したがって、その者に照会をすれば、その動産の譲渡にかかる情報について、正しい回答がされる可能性が高い。これに対し、占有改定による引渡しでは、動産の所持者は、譲渡によって不利益を受ける者である。したがって、この者に照会をしたとしても、その動産が譲渡されていることが隠されてしまうおそれがある。そのため、占有改定による引渡しを178条の「引渡し」に含めることに対し、疑問を投げかけるものがある。

(ii)　**不合理なコストの回避**　　では、占有改定による引渡しを178条の「引渡し」に含めないとしたら、どうなるか。この場合には、動産物権譲渡の当事者は、占有改定による引渡しによって対抗要件を備えたのと同じ状態を実現するために、次の方法をとることとなろう。すなわち、譲渡人が譲受人に対し、いったん現実の引渡しをおこない、これにより対抗要件を備えた後で、ふたたび譲受人からその動産を自分のところに戻してもらう方法である。しかし、動産物権譲渡の当事者がその対抗要件を備えるために、動産をいったりきたりしなければならなくなるのは、不合理である。このように、不合理なコストが生ずることを回避するという考え方は、占有改定による引渡しのみならず、簡易の引渡しと指図による占有移転についても、あてはまるものとされている。

(iii)　**占有の公信力による補完**　　占有改定による引渡しは、公示力が低い。そのため、占有改定による引渡しをもって動産物権譲渡の対抗要件を備えることを認めると、動産取引の安全を害するおそれがある。しかし、この問題は、公信の原則を定める即時取得制度（192条〔→100頁〕）により対処されている。すなわち、譲渡人が動産を占有していることから、その者がその動産の所有者であると過失なく信じてその動産を買い受け、その動産の占有を始めた者は、その動産の所有権を取得することができる。占有改定による引渡しの公示力の低さが、占有の公信力によって補完されているわけである。

(2)　動産譲渡登記

法人が動産を譲渡したときは、動産債権譲渡特例法による動産譲渡登記をすることによって、その譲渡の対抗要件を備えることができる。

(a)　動産譲渡登記の意義

Ａ製本会社は、Ｂ銀行に対し、Ｂ銀行のＡ製本会社に対する貸金債権を担保する目的で、自分が所有する製本機（甲）を譲渡した。この場合には、Ｂ銀行は、占有改定による引渡しによって譲渡担保権の設定の対抗要件を備えることとなる。しかし、占有改定による引渡しの存否と時期は、外形上明らかでない。後日、Ａ製本会社から甲の譲渡を受けたとする者があらわれ、その者との間で争いになるかもしれない。これに対し、Ｂ銀行が登記によって対抗要件を備えることができるならば、そのような争いは、未然に防止される。さらに、即時取得の成立を妨げる効果も、認められることがある（→104-105頁）。そのため、Ｂ銀行は、甲を担保としたＡ製本会社に対する融資を実行しやすくなる。

このように、動産を活用した企業の資金調達を円滑にする目的で創設されたのが、動産譲渡登記制度である。

(b)　動産譲渡登記の編成

動産譲渡登記を備えることができるのは、「法人」が動産を譲渡した場合である（動産債権譲渡特３条１項）。これに対し、「動産」の種別は、一般に制限されていない。しかし、動産は、その数が膨大であるから、不動産登記のように、一つひとつの物を単位として登記を編成する（物的編成主義）のは、難しい（→90頁）。そこで、動産譲渡登記では、動産の譲渡ごとに独立の登記として所定のファイルに譲渡にかかる事項を記録することとし、譲渡人を指定して検索をおこなえば、その譲渡人が備えたすべての動産譲渡登記を知ることができる仕組みがとられている（人的編成主義）。

(c)　譲渡にかかる動産の特定

動産譲渡登記を備えるためには、譲渡にかかる動産を特定する必要がある。その方法としては、①動産の特質によって特定する方法と、②動産の保管場所の所在地によって特定する方法とがある（動産債権譲渡登記規８条１項）。

①の方法では、シリアルナンバー等が求められる。これは、(a)に挙げた例のように、個別の動産が譲渡に供されるときを念頭に置いたものである。他方、倉庫に現に存在し、かつ将来搬入される商品のすべてを譲渡担保権の目的とするとき（集合動産譲渡担保〔→10頁〕）は、シリアルナンバー等を指示して動産を特定することができない。この場合に用いられるのが、②の方法である。

(d)　登記情報の公開の仕組み

動産を譲り受けようとする者（Ａ）が、その動産（甲）について、動産を譲渡しようとする者（Ｂ）を譲渡人とする動産譲渡登記がされているかどうかを確認するためには、次の方法をとることが考えられる。

第１に、Ａは、登記事項概要証明書または概要記録事項証明書の交付を請求し（両証明書の交付は、誰でもこれを請求することができる〔動産債権譲渡特11条１項・13条１項〕）、Ｂを譲渡人とする動産譲渡登記がされているかどうかを調査する。そして、そのような動産譲渡登記がされているときは、甲が先行する動産譲渡登記の目的とされているかどうかを調査する必要がある。

そこで、第２に、Ａは、Ｂに対し、登記事項証明書の交付を受けて、同証明書を自分に提示するよう求めることとなる。同証明書が提示されれば、それにより、甲について動産譲渡登記がされているかどうかを確認することができる。Ｂがどのような動産を譲渡しているかについての情報は、Ｂの営業秘密や事業戦略とかかわる。そこで、登記事項証明書の交付請求権者は、譲渡の当事者・利害関係人等に限定されている（動産債権譲渡特11条２項）。動産を譲り受けようとする者は、その交付請求権者に含まれない。ＡがＢに対し、登記事項証明書を提示するよう求めなければならないのは、そのためである。

２つのステップは、かならずこれを踏まなければならないものではない。金融機関が融資をするケースでは、ＡがＢに対し、登記事項証明書を提示するようはじめから求めるのが通常であると考えられる。

(e) 動産譲渡登記の効果——みなし引渡し

動産譲渡登記がされたときは、「当該動産について、民法第178条の引渡しがあったものとみなす」（動産債権譲渡特３条１項）。したがって、これにより、動産物権譲渡の対抗要件が備えられる。

同一の動産について、複数の譲渡が競合した場合には、その優劣は、次のようにして定まる。①複数の動産譲渡登記がされたときは、登記の先後に従う。また、②占有改定による引渡しと動産譲渡登記とがされたときは、占有改定による引渡しと登記との先後に従う。言い換えれば、占有改定による引渡しを受けた先行の譲受人よりも、動産譲渡登記を備えた後行の譲受人を優先させるルール（これを、登記優先ルールという）は、とられていない。

(3) 動産の性質による特則

一定の動産については、その性質上、特別なルールが定められている。

①登記・登録を対抗要件とする動産　　たとえば、商法上登記を必要とする船舶の所有権の移転は、その旨の登記を備え、船舶国籍証書へと記載しなければ、第三者に対抗することができないものとされている（商687条）。また、登録を受けた自動車の所有権の得喪は、その旨の登録を備えなければ、第三者に対抗することができない（道運車５条）。一定の種類の動産についてであれば、

不動産登記のように、一つひとつの物を単位として登記・登録を編成すること（物的編成主義）ができる。また、一定の種類の動産については、その性質上、一つひとつの物を単位として編成された登記・登録によって、その動産に関する物権変動を公示することが望ましいものと考えられる。

②独自の対抗要件を備えることを要しない動産　不動産である建物（主物）および動産である畳・建具（従物）が譲渡された場合において、その譲受人がその建物（主物）について所有権移転登記を備えたときは、その畳・建具（従物）の引渡しを受けなくても、その畳・建具（従物）の所有権を取得したことを第三者に対抗することができる。

③対抗要件主義が適用されない動産　金銭については、一般に、「占有のあるところに所有権もあり」というルールが適用される（→22頁）。このルールによれば、金銭所有権を譲渡するためには、動産の所在を現実に移さなければならない。金銭について178条の規定が適用されるのは、封金や古銭のように、物そのものに個性が認められるときに限られるものとされている。

2　引渡しを要する動産物権変動の範囲

177条は、対抗要件としての登記を要する不動産物権変動を、「物権の得喪及び変更」と定めている。これに対し、178条は、対抗要件としての引渡しを要する動産物権変動を、「物権の譲渡」と定めている。そこで、両条の文言がなぜ異なるのかが問題となる。

まず、動産所有権の原始取得は、占有を取得しなければ、その効力が生じないか（時効取得〔162条〕、即時取得〔192条〕、無主物先占〔239条〕、遺失物拾得〔240条〕等）、占有の取得を問題としないものである（埋蔵物発見〔241条〕、付合〔243条〕等）。また、法律によって成立する動産上の担保物権については、対抗要件としての引渡しが問題とならない。すなわち、留置権は、占有をその成立要件としている（295条）。動産を目的とする先取特権は、その成立を第三者に対抗するために特別な要件を満たす必要がない（306条・311条）。他方、合意によって成立する動産上の担保物権には、質権がある。質権の設定は、占有改定以外の方法による引渡しをその成立要件としている（344条・345条）。さらに、動産物権の承継取得のうち、相続によるものについては、対抗要件としての引渡しが必要となる場合について、特別な規定が設けられている（899条の２）。

そこで、178条の規定は、対抗要件としての引渡しを要する動産物権変動を、動産物権の承継取得のうち、人の意思に基づいて権利が移転すること、つまり譲渡（→27頁）に限るとしているものと説明される。

3　第三者の範囲

動産物権譲渡は、引渡しがなければ、「第三者」に対抗することができない（178条）。ここでの「第三者」の意義は、一般に、不動産物権変動と同じように解されている（→64頁）。すなわち、同条の「第三者」とは、当事者およびその包括承継人以外の者であって、引渡しがされていないことを主張するについて正当な利益を有する者である。

(1)　客観的範囲

動産物権譲渡では、客観的範囲について、次のような問題が争われている。Ａは、Ｂから、Ｂが所有する時計（甲）を賃借して、その引渡しを受けた。その後、Ｂは、Ｃに対し、甲を売却した。指図による占有移転は、されていない。Ｃは、Ａに対し、所有権に基づいて甲の返還を求めることができるか。また、Ａは、Ｂから、Ｂが所有する絵画（乙）の保管を委ねられていた。その後、Ｂは、Ｃに対し、乙を売却した。指図による占有移転は、されていない。Ｃは、Ａに対し、所有権に基づいて乙の返還を求めることができるか。動産賃借人や動産受寄者が、178条の「第三者」に当たるかどうかが問題となる。

(a)　判例

判例によれば、動産賃借人は、「動産の占有者として民法第178条に所謂第三者に該当」する（大判大正４・２・２民録21輯61頁）。これに対し、動産受寄者は、178条の「第三者」に当たらない（最判昭和29・８・31民集８巻８号1567頁）。「ＡはＣに本件物件を譲渡したＢに代って一時右物件を保管するに過ぎ」ないからである。つまり、判例によれば、動産賃借人と動産受寄者とで、同条の「第三者」に当たるどうかが区別されている。

(b)　学説

学説は、次のように分かれている。

第１に、動産の返還の相手方を確実に知る利益を有する者も、178条の「第三者」に当たるという見解がある。動産賃借人および動産受寄者は、契約の相手方である賃貸人・寄託者に動産を返還すべきか、譲受人に動産を返還すべきかを確実に知る利益を有する。したがって、この見解によれば、動産賃借人と動産受寄者とのいずれも、同条の「第三者」に当たることとなる。ここで譲受人に求められる引渡しの性格については、対抗要件とみるものと、権利保護資格要件とみるものとがある（→65-66頁参照）。

第２に、178条の「第三者」は、物的支配を相争う関係にある者に限られるとする見解がある。動産賃借人および動産受寄者は、いずれも債権者である。そして、動産賃貸借と動産寄託については、不動産賃貸借（605条、借地借家10条・31条等）とは異なり、債権を物権化する特別な規律が定められていない。そのため、「売買は賃貸借（・寄託）を破る」（→11頁）の原則が適用される。したがって、動産賃借人および動産受寄者は、譲受人との間で、物的支配を相争う関係にない。この見解によれば、動産賃借人と動産受寄者とのいずれも、同条の「第三者」に当たらないこととなる。

第３に、占有継続の利益を有する者は、178条の「第三者」に当たるとする見解がある。動産賃貸借では、賃借人が譲受人に対し、対抗不能を主張することができるとすると、賃貸借契約が終了するまで、動産の占有を継続することができる。これに対し、動産寄託では、受寄者が譲受人に対し、対抗不能を主張することができたとしても、譲渡人から動産の返還を求められたときは、これに応じなければならない（662条）。したがって、この見解によれば、判例と同じように、動産賃借人は、同条の「第三者」に当たるのに対し、動産受寄者は、同条の「第三者」に当たらないこととなる。

2017年の民法改正法は、寄託について新たな規律を定めることとした。それによれば、受寄者は、第三者が目的物について権利を主張する場合であっても、寄託者の指図等がない限り、寄託者に目的物を返還しなければならない（660条２項）。この場合において、受寄者は、寄託者への目的物の引渡しによって第三者に損害が生じたとしても、その損害を賠償する責任を負わない（同条３項）。このルールは、受寄者が目的物の返還の相手方を確実に知る利益を保護する目的で、それに相応しい要件と効果とを定めたものである。したがって、これと同一の利益を保護する観点から、動産受寄者は、178条の「第三者」に当たると解すること（第１の見解を参照）は、必要でも相当でもなくなったものと考えられる。

⑵　主観的範囲

Ａは、Ｂに対し、自分が所有する古本（甲）を売却した。甲の引渡しは、されていない。その後、Ａは、Ｃに対しても、甲を売却した。甲は、Ｃが自分の家に持ち帰っている。Ｃは、甲の所有権がＡからＢへと移転したことを知っていた。Ｂは、Ｃに対し、所有権に基づいて甲の返還を求めることができるか。悪意の動産譲受人も、178条の「第三者」に当たるかどうかが問題となる。

(a)　背信的悪意者排除論

不動産物権変動の対抗要件については、一般に、背信的悪意者排除論がとられている（→68頁）。この考え方が動産物権譲渡の対抗要件についても当てはまるとみるならば、Ｃは、悪意者であっても、背信的悪意者でない限り、178条の「第三者」に当たることとなろう。

(b)　悪意者・善意有過失者排除説

これに対し、動産物権譲渡の対抗要件については、Ｃは、善意無過失でなければ、178条の「第三者」に当たらないとするものがある。

上記の事例では、ＡがＢに対し、占有改定による引渡しをしていないことを前提としている。他方、ＡがＢに対し、占有改定による引渡しをしていたときは、Ｂは、甲の所有権を取得したことについて、対抗要件を備えていることとなる。この場合には、Ｃは、無権利者であるＡからの取得者である。Ｃは、善意無過失であるときに限り、即時取得制度（192条）によって所有権を取得する余地があるにとどまる（→104頁）。ＡがＢに対し、占有改定による引渡しをしていたかどうかは、ＡとＢとの間で、占有改定についての合意（→90頁）が成立していたかどうかという微妙な判断にかからしめられる。そうであるとすると、たまたま占有改定についての合意が成立していなかったとされたときに、悪意であるＣが、所有権に基づく返還請求を拒むことができるとするのは、バランスが悪い。このように考えるならば、動産物権譲渡については、悪意者および善意有過失者は、178条の「第三者」から除かれるものと解することとなる。

II　即時取得

1　即時取得と善意取得

Ａが所有する工作機械（甲）について、Ｂがこれを占有していた。Ｂは、Ｃに対し、無権限で甲を売却した。甲は、ＢからＣへと現実に引き渡された。この場合において、Ａは、Ｃに対し、所有権に基づいて甲の返還を求めることができるか。

(1)　制度の沿革

ローマ法では、〈何人も自己が有する以上の権利を他人に移転することはできない〉という原則（このルールを、無権利の法理という）が適用されていた。この原則によれば、Ｂは、甲について権利を有しない以上、Ｃも、甲について権利を有しない。したがって、Ａは、Ｃに対し、所有権に基づいて甲の返還を求めることができる。

これに対し、ゲルマン法では、〈汝は、汝が信を置いたところに、ふたたび信を求めなければならない〉（手が手を守れ）とされていた。このルールは、観念的な権利と外形的な占有とを結び付ける仕組みを基礎に据えるものである。このルールによれば、ＡがＢに対し、賃貸や寄託によって、つまり自己の意思によって甲の占有を委ねたときは、Ａが甲の返還を求めることができる相手方は、Ｂに限られる。もっとも、甲が盗取されたり、甲を遺失したりするなど、自己の意思によらずに占有を離れたとき（そのような物を、占有離脱物という）は、Ａは、Ｃに対し、甲の返還を求めることができるものとされる。

(2)　現行法の解釈

現行法は、ローマ法の原則である無権利の法理から出発している。したがって、Ａは、Ｃに対し、所有権に基づいて甲の返還を求めることができるのが原則である。しかし、この不文の原則には、例外が定められている。192条によれば、ＣがＢに権利があることを過失なく信じていたときは、Ｃは、「即時にその動産について行使する権利を取得する」。この規定の趣旨については、２

とおりの見方がある。

第１の見方は、192条の規定がゲルマン法の原則から発展してきたという沿革を重視するものである。この見方によると、ＡがＣに対し、所有権に基づいて甲の返還を求めることができないのは、Ｃが甲の占有を取得したことで、ＡのＢに対する信頼が破壊されたからであるとされる。この意味において、192条の規定は、Ｃが取得した占有の効力に基づく制度、つまり即時の取得時効（即時取得）を定めたものである。162条２項と192条との文言を比較すれば、両規定の類似性は、明らかであろう。また、192条の規定は、「占有権の効力」の節に置かれている。さらに、盗品または遺失物に関する特則（193・194条）も、ゲルマン法的思考のあらわれであるとみることができる（→100頁）。

第２の見方によれば、192条の規定は、公信の原則を定めたものであるとされる。公信の原則とは、公示を信頼して取引をした者は、公示どおりの物権（変動）がなかったとしても、その物権（変動）をあるものとして扱うことができるという原則である（→31頁）。ローマ法の原則である無権利の法理を貫くならば、動産取引の安全が害される。そこで、公信の原則のあらわれとして、同条の規定が設けられることとなったと位置づけられる。この見方によれば、192条の規定は、Ｃが取得した占有の効力に基づくものであるというよりは、むしろ、Ｂの占有に対するＣの信頼を保護するものである。この意味において、192条の規定は、「善意取得」のルールとよばれるべきである。現行法の規定には、この見方に親和的なところがある（(3)の下のコラムを参照）。また、公信の原則のもとでも、この原則によって権利を奪われる者の事情が無視されるわけではない。盗品または遺失物に関する特則（193・194条）は、そのことを示したものであると捉えられる。

(3) 「即時取得」

今日の確立した理解によれば、192条の規定は、公信の原則を定めたものであるとされる（(2)における第２の見方）。そうであるとすると、同条は、「善意取得」を規定したものであるというべきであろう。そして、立法論としては、同条は、「占有権の効力」に関する規定ではなく、動産物権変動に関する規定として、具体的には、動産物権譲渡の対抗要件を定める178条の後に配置するのが望ましいものとされている。しかし、2004年の民法改正法は、192条の見出しを「即時取得」と定めた。見出しも法律の一部であるから、本書でも、——同条が公信の原則を規定したものであるとする理解を維持しつつ——この言葉を用いることとする。

192条の規定と公信の原則

2004年の民法改正法は、判例・通説の理解に従い、「取引行為によって」という要件を明文で定めた。これは、同条が動産取引の安全を確保するための規定であるという見方に親和的な改正であるといえる。また、同改正法は、162条２項の文言を「不動産」から「物」に改めた。これは、善意占有者による動産の短期取得時効を定めるのは、192条の規定ではなく、162条２項の規定であるという理解を示したもののようにみえる。さらに、民法以外の法律では、「即時取得」という言葉は、用いられていない。192条の規定が引かれるときは、むしろ、「善意取得」とよばれている（文化財の不法な輸出入等の規制等に関する法律６条）。そのほか、2017年の民法改正法によって新設された有価証券に関する同種の規定も、「善意取得」を定めたものであるとされている（520条の５・520条の15・520条の20等）。

2　即時取得の要件と効果

(1)　要件

Ａが所有する甲について、ＢがＣに対し、これを無権限で処分した。甲は、Ｃがこれを占有しているこの場合において、Ｃが甲を即時取得するためには、次の要件を満たさなければならない。すなわち、①甲が動産であること、②Ｂが甲を占有していたこと、③ＢとＣとの間で、有効な取引行為がされたこと、④Ｃが善意無過失で、平穏に、かつ公然と、⑤占有を始めたことである。以下では、①③④⑤について、順に検討をおこなう。

(a)　動産

192条の規定は、甲が「動産」であるときに適用される。

①登記・登録によって公示されるべき動産　　もっとも、即時取得は、Ｂの

占有に対するCの信頼を保護するものである。そのため、192条の規定は、甲が登記・登録によって公示されるべき動産であるときは、適用されない。甲が商法上登記を必要とする船舶や登録を受けた自動車であるときは、甲は、登記・登録によって公示されるべき動産であるとされている（→95-96頁）。この場合には、192条の規定は、適用されない。

②動産譲渡登記　甲について動産譲渡登記がされているときであっても、引渡しによってその譲渡を公示することが妨げられるわけではない（→95頁）。そのため、この場合にも、192条の規定が適用される。もっとも、Cが無過失であるかどうかについて、厳しい判断がされることがある（→104-105頁）。

③金銭　金銭については、「占有のあるところに所有権もあり」というルールが適用される（→22頁）。この場合には、192条の規定は、適用されない。

(b)　取引行為

即時取得は、動産取引の安全を確保するためのものである。したがって、Cは、「取引行為によって」、Bから甲の占有を取得しなければならない。

(i)　有効な取引行為　BとCとの間で、売買等がされていないにもかかわらず、たんに甲がBのところからCのところへと移されたとする。この場合には、192条の規定は、適用されない。そのような行為は、「取引行為」ではなく、事実行為だからである。また、BとCとの間でされた取引行為が、公序良俗に反して無効であるとき（90条）や、詐欺により取り消されたとき（96条1項）などにも、192条の規定は、適用されない。つまり、「取引行為」は、有効なものでなければならない。

(ii)　取引行為の有償性　売買や交換といった有償行為は、「取引行為」に当たる。これに対し、無償行為が「取引行為」に当たるかどうかについては、争いがある。たとえば、CがBから甲の贈与を受けたときに、192条の規定が適用されるかどうかが問題となる。

即時取得は、無権利の法理の例外として、Cに甲の所有権を取得させる一方で、Aから甲の所有権を奪う制度である。Aが甲の所有権を失うことは、動産取引の安全を確保するためにやむをえないとしても、その犠牲となったAには、相応の代償が与えられるべきである。そうでなければ、無権利の法理の例外を認めることを正当化することが困難であろう。有償行為がされたときは、

ＣからＢへと支払われる甲の対価が、不当利得返還請求権（703条・704条）や代償的取戻権（破64条等）に関する規律のもとで、Ａへと与えられる。他方、無償行為がされたときは、Ｃは、Ｂに対し、甲の対価を支払わない。Ａに与えられるべき代償の原資を拠出しない者は、原則どおり、甲の所有権を取得することができないとみるべきである。このように考えるならば、「取引行為」は、無償取引を含まないと解することとなる。

(c)　平穏、公然および善意無過失

まず、平穏、公然および善意は、推定される。この推定は、Ｃが甲を占有することによってされる（186条１項）ものとされている。次に、無過失も、推定される。この推定は、Ｂが甲について行使する権利は、適法に有するものと推定される（188条）こと、そして、Ｃは、そのようなＢから、取引行為によって（(b)）占有を取得した者であることによってされるものである。

したがって、即時取得の成立を争う側（Ａ）が、Ｃの占有の取得が平穏または公然にされたものでないことや、Ｃが善意無過失でないことを主張・立証しなければならない。

(i)　平穏・公然　　Ｃの占有が暴行もしくは強迫により（つまり、平穏でなく）、または隠匿により（つまり、公然でなく）取得されたものであるときは、192条の規定は、適用されない。もっとも、このような場合には、一般に、そもそも取引行為の要件（(b)）を満たさないものと考えられている。

(ii)　善意無過失　　192条が規定する善意無過失とは、Ｂが権利者としての外観を有しているため、ＣがＢについて「外観に対応する権利があるものと誤信し、かつこのように信ずるについて過失のない」ことをいう（最判昭和41・6・9民集20巻５号1011頁）。つまり、同条の「善意」は、Ｂに権利がないことを知らないこと（不知）ではなく、Ｂに権利があることを信じていること（誤信）である。また、同条の「過失」があるかどうかは、取引において必要とされる注意を怠らなかったかどうかによって判断される。

動産取引は、その性質上、簡易かつ迅速にされるものである。そこで、一般には、Ｃに求められる注意の程度は、高くないものとされている。Ｂに権利があることを疑わせる具体的な事情があるにもかかわらず、Ｃがしかるべき調査を怠ったときなどに、Ｃに過失があると判断されるにすぎない。動産譲渡登記がされているときであっても、Cが動産譲渡登記の有無を調査していないというだけで、つねにCに過失があると判断されるわけではない。もっとも、次のような場合には、Cに過失があると判断される余地がある。高額な機械設備である甲について、それが活発に譲渡担保に供され、その対抗要件として動産譲渡登記がされるという取引慣行が形成されている場合において、Cが動産譲渡登記がされているかどうかを調査していなかったときである。

(d) 占有を始めたこと

即時取得が成立するためには、「占有を始めた」ことが必要である（192条）。「占有を始めた」とは、CがBから引渡しを受けたことをいう。Cは、たんに占有を始めただけでは足りず、Bとの間でした取引行為に基づいて（(b)）占有を始めなければならないとされているからである。

現実の引渡しと簡易の引渡しとが「占有を始めた」に含まれることについては、争いがない。これらの場合には、Cが甲を現実に占有しているからである。他方、占有改定による引渡しや指図による占有移転が「占有を始めた」に含まれるかどうかについては、争いがある。節を改めて検討しよう（3）。

(2) 効果

192条の定める要件を満たしたときは、動産の占有者は、「即時にその動産について行使する権利を取得」する。即時取得は、原始取得の一種である。また、その対象となる権利は、所有権（担保目的のものも含む）および質権に限られる。もっとも、動産先取特権については、192条の規定が準用されている（319条）。

3 「占有を始めた」の意義

(1) 占有改定

「占有を始めた」とは、引渡しを受けることをいう（2(1)(d)）。では、占有改定による引渡しも、「占有を始めた」に当たるか。たとえば、次のケースにおいて、即時取得が成立するかどうかが問題となる。①Aは、Bに対し、自分が所有する工作機械（甲）を賃貸して、これを引き渡した。Bは、甲が自分の物であるとして、そのことを過失なく信じているCに甲を売却した。Cは、Bに対し、そのまま甲の保管を委ねている。②Aは、Bから、Bが所有する工作機械（甲）を買い受ける一方で、Bに対し、そのまま甲を賃貸することとした。Bは、甲が自分の物であるとして、そのことを過失なく信じているCに甲を売却した。Cは、Bに対し、そのまま甲の保管を委ねている。(1)は、他人物売買型の例であり、(2)は、二重売買型の例である。

(a) 肯定説・否定説・折衷説

一般的な見解は、占有改定による即時取得が認められるかどうかについて、他人物売買型（①）と二重売買型（②）とを区別していない。一般的な見解は、肯定説、否定説、折衷説の３説に分かれる。

肯定説によれば、占有改定による即時取得も認められる。Cが取得した占有の効力から、Bの占有に対するCの信頼の保護へ、という制度の理解の変遷（→101頁）を推し進めれば、Cが現実の占有を取得したことまでは求められないこととなろう。

これに対し、否定説によれば、占有改定による即時取得は、認められない。判例は、この考え方にたっている（最判昭和35・２・11民集14巻２号168頁〔(1)の類型に属する事案〕、最判昭和32・12・27民集11巻14号2485頁〔(2)の類型に属する事案〕）。その理由は、即時取得が成立するためには、「一般外観上従来の占有状態に変更を生ずるがごとき占有を取得すること」（前掲最判昭和35・２・11）が必要であることに求められている。

学説においても、否定説が有力である。一方で、Cは、Bから占有改定による引渡しを受けただけでは、保護に値する支配を獲得したとはいえない。Bが甲をなお現実に占有している以上、Cは、Bがふたたび無権限処分をすることを妨げることができる支配の状態を確立するに至っていないからである。他方で、甲は、Aが現実の占有を委ねたBのところにとどまっている。つまり、Aの信頼は、形のうえでは裏切られていない（この表現は、ゲルマン法的思考〔→100頁〕のなごりである）。それにもかかわらず、即時取得の成立を認めると、Aにとって、即時取得の成立を防止したり、その成否を確知したりするためのモニタリングコストが過大になる。したがって、占有改定による即時取得は、否定されるべきである。

折衷説は、次の考え方をとるものである。すなわち、即時取得は、占有改定による引渡しによっても成立する。もっとも、占有改定による引渡しがされた時点では、その取得の効果は、不確定である。その後、現実の引渡しがされたときに、その時点で取得の効果が確定する。否定説によれば、Cは、現実の引渡しを受ける時点で善意無過失でなければならないのに対し、折衷説によれば、Cは、占有改定による引渡しがされた時点で善意無過失であれば、現実の引渡しがされた時点では善意無過失でなくてもよい。また、現実の占有がBにある時点で争いが生じたときは、否定説によれば、Aが優先することになるのに対し、折衷説によれば、AとCとは、どちらも相手方に優先することができない（両すくみ）こととなる。

(b) 類型論

学説のなかには、他人物売買型（①）と二重売買型（②）とでは、問題の構造が異なるとするものがある。①では、甲の所有者は、Aであった。この場合において、BがCに対し、甲を無権限で処分している。そのため、Cは、Aに劣後するのが原則である。これに対し、②では、甲の所有者は、Bであった。AとCとは、いずれもBから甲を買い受けた者同士である。そこで、この場合には、AとCとは、対等な競争者の関係にあるものとみることができる。②について、最終的に192条の規定によって処理がされるのは、178条の「引渡し」に占有改定による引渡しが含まれるからである。もっとも、そのことは、②を①と同じように処理することを正当化するものではない。

そこで、①については、否定説をとるべきであるものの、②については、折衷説をとるべきであるとされる。折衷説は、次の点において、対等な競争者の関係を定めるのに相応しいルールを示しているものと考えられるからである（177条の規定に関する判例法理も参照〔→48-49頁・68頁〕）。すなわち、現実の占有がBにある時点で争いが生じたときは、AとCとは、両すくみとなること、この場合には、AとCとの間の優劣は、現実の引渡しの先後によって定まること、現実の引渡しを受ける時点において、Cは、Aの所有権の取得について悪意であってもよいことである。

⑵　指図による占有移転

指図による占有移転は、「占有を始めた」に当たるか。たとえば、次のケースにおいて、即時取得が成立するかどうかが問題となる。①Aは、Bに対し、自分が所有する工作機械（甲）の保管を委ねた。Cは、Bから甲を買い受ける一方で、Bに対し、そのまま甲の保管を委ねた。その後、Cは、甲が自分の物であるとして、そのことを過失なく信じているDに甲を売却した。Cは、Dとの間の合意に基づいて、所有者が交替した旨をBに伝えた。②Aは、Bに対し、自分が所有する工作機械（甲）の保管を委ねた。その後、Bは、Cに対し、甲の保管を委ねた。Bは、甲が自分の物であるとして、そのことを過失なく信じているDに甲を売却した。Bは、Dとの間の合意に基づいて、所有者が交替した旨をCに伝えた。

判例のなかには、①の類型に属する事案について、即時取得を認めなかったもの（大判昭和8・2・13新聞3520号11頁）と、②の類型に属する事案について、即時取得を認めたもの（最判昭和57・9・7民集36巻8号1527頁）とがある。この違いは、次のように説明することができる。①では、一般外観上、従来の占有状態に変更が生じていない。そこで、占有改定による引渡しがされたときと同一の判断（→106頁）がされた。他方、②では、一般外観上、従来の占有状態に変更が生じている。そこで、②は、①とは事案が異なるものと評価された。

4　盗品または遺失物に関する例外

⑴　階層的なルール

即時取得に関するルールは、階層的である。すなわち、192条の規定は、無権利の法理の例外を定めるものである（→101頁）。そして、192条の規定にも、例外のルールが定められている。その例外のルールにも、さらに例外のルールが定められている。

まず、被害者または遺失者は、盗難時または遺失時から2年間、盗品または遺失物の回復を求めることができる（193条）。占有離脱物（→100頁）については、外観の作出または存続について真の権利者の意思的関与がない。盗取されたり、遺失したりしたときは、意思的関与と同視することができるほどの重い帰責性（→77頁）も、認められないことが多いであろう。そうであるとすると、盗品または遺失物については、原則として、即時取得を認めないとすることも考えられる。しかし、日本法は、被害者または遺失者に対し、２年間の回復請求を認めるにとどめている。これは、被害者または遺失者の救済を一定期間に限定している点で、動産取引の安全を促進したものであると評価することができる。

次に、被害者または遺失者は、次に掲げるときは、占有者が支払った「代価を弁償」しなければ、盗品または遺失物を回復することができない（194条）。すなわち、占有者が競売もしくは公の市場をとおして、または同種の物を販売する商人から、善意で盗品または遺失物を買い受けたときである。この場合には、動産取引の安全を確保する必要性がいっそう高いからである。もっとも、占有者が古物商または質屋であるときは、盗難時または遺失時から１年間は、盗品または遺失物を無償で回復することができる（古物20条、質屋22条）。これらの者は、専門家である以上、盗品または遺失物に当たらないかどうかを慎重に調査すべきだからである。

(2) 所有権の帰属と使用利益の返還

Ａは、自分が所有する照明器具（甲）を何者かに盗まれた。その後、甲は、照明器具の販売業を営むＢの手に渡った。Ｂは、甲が自分の物であるとして、そのことを過失なく信じているＣに甲を売却した。Ｃは、Ｂに対し、代金500万円を支払った。Ａが甲を盗取された時から１年半が経過した後、Ａは、Ｃに対し、甲の返還を求めて訴えを提起した。

(a) 所有権の帰属

この場合において、まず、甲の所有権は、ＡとＣとのどちらにあるのか。甲が回復されるまでの間、所有権は、原所有者に帰属するのか、それとも、占有者に帰属するのかが問題となる。

判例によれば、甲が回復される前にも、甲の所有権は、Ａに帰属する（大判大正10・７・８民録27輯1373頁）。これは、原所有者帰属説とよばれる見解である。この見解によると、原所有者の回復請求権は、物の占有の回復を求めるものである。その性格は、所有権に基づく返還請求権にほかならない。

これに対し、甲が回復されるまでの間は、甲の所有権は、Ｃに帰属するという見解も主張されている。これは、占有者帰属説とよばれる見解である。この見解によると、原所有者の回復請求権は、物の占有と所有権との双方の回復を求める特別な権利であると捉えられる。

(b) 使用利益の返還

次に、Aは、Cに対し、不当利得を理由として、訴えの提起から甲の返還までの間の使用利益を返還するよう求めることができるか。これが認められるときは、Aは、不当利得返還請求権と代価弁償義務にかかる権利とを対等額で相殺することができる。

一見すると、占有者帰属説によれば、Aは、使用利益の返還を求めることができないのに対し、原所有者帰属説によれば、Aは、使用利益の返還を求めることができることとなりそうである。そうであるとすれば、判例は、原所有者帰属説にたっている((a))から、この問題については、肯定説をとることとなるはずである。

もっとも、判例は、この問題については、否定説をとっている(最判平成12・6・27民集54巻5号1737頁)。194条の規定が適用されるときは、原所有者は、①代価を弁償して盗品を回復するか、それとも、②盗品の回復をあきらめるかを選択することができる。他方、占有者は、②においては、盗品の所有者として占有取得後の使用利益を保持することができるにもかかわらず、①においては、代価弁償以前の使用利益を失うというのでは、占有者の地位が不安定になる。これでは、同条の規定が原所有者の保護と占有者の保護とのバランスを図った趣旨と整合しない、というのがその理由である。

Ⅲ 動産物権変動における公示と公信

1 不動産物権変動と動産物権変動との対比

(1) 登記と引渡し・占有

不動産物権変動の対抗要件は、登記である(177条)。これに対し、動産物権譲渡の対抗要件は、引渡しである(178条)。もっとも、引渡しの公示力は、十分ではない。このことは、とりわけ、占有改定による引渡しについてあてはまる（→92頁）。

他方、動産取引については、占有の公信力が認められている（即時取得〔192条〕）。これに対し、不動産取引については、登記の公信力は、認められていない（区別の理由について→32-33頁）。

(2) 94条2項類推適用と即時取得

もっとも、不動産取引についても、94条2項類推適用が認められている。そのため、不実の登記に対する信頼が、いっさい保護されないわけではない。では、即時取得は、94条2項類推適用とどこが違うのか。94条2項類推適用の単独型（→75-76頁）と比較しておこう。

即時取得では、①原権利者の帰責性は、盗品または遺失物に関する例外（193条・194条）の限度でしか考慮されない。他方、②第三者は、善意無過失でなければならない。また、③第三者は、一般外観上、従来の占有状態に変更を生ずるかたちで引渡しを受けることが必要とされている。

これに対し、94条2項類推適用の単独型では、①虚偽の外観の作出または存続について、原権利者の意思的関与が求められる。他方、②第三者は、善意であれば足り、無過失までは求められない。また、③第三者は、登記を備えることも、不要であるとされている。

2 公示の原則と公信の原則との関係

(1) 不動産物権変動と動産物権変動との比較

【図表5-3】

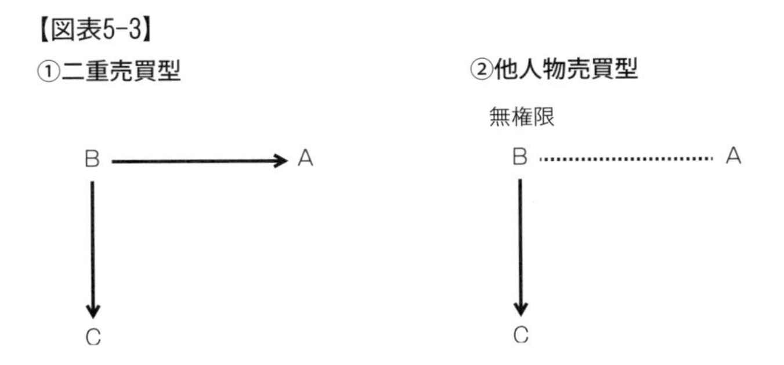

公示の原則と公信の原則との関係を整理しておこう。①Aは、Bから、Bが

所有する物を買い受けた。その後、Bは、Cに対しても、その物を売却した。②Aは、Bに対し、自分が所有する物を賃貸して、これを引き渡した。その後、Bは、その物が自分の物であるとして、そのことを過失なく信じているCにその物を売却した。①は、二重売買型の例であり、②は、他人物売買型の例である。

まず、目的物が不動産であるときについて、検討をおこなう。①では、BからAへの所有権移転登記がされたときは、Aは、Bから所有権を取得したことを第三者であるCに対抗することができる（177条）。この場合において、Cは、Bから善意無過失でその不動産を買い受けたとしても、94条2項類推適用による保護を受けることができない。登記名義は、BからAへと移されているからである。これに対し、②では、Cは、原則として、所有権を取得することができない。もっとも、登記名義がAからBへと移されていたときは、Cは、94条2項類推適用によって保護される余地がある。このように、不動産物権変動では、AとCとの関係は、①については、177条の規定によって定まり、②については、94条2項類推適用によって定まる。

では、目的物が動産であるときは、どうか。②では、Cは、原則として、所有権を取得することができない。この場合において、Cが所有権を取得することができるかどうかは、192条の規定によって定まる。そして、このことは、①において、BからAへと占有改定による引渡しがされたときであっても、同じである。たしかに、この場合には、Aは、Bから所有権を取得したことを第三者であるCに対抗することができる（178条）。しかし、Cは、動産を占有するBがその所有者であると過失なく信じてBからその動産を買い受け、その占有を始めたときは、192条の規定による保護を受けることができる。このように、動産物権変動では、AとCとの関係は、②については、192条の規定によって定まり、①についても、占有改定による引渡しがされたときは、最終的には、192条の規定によって定まる。この意味において、178条の規定の存在意義は、乏しいものとされている。

(2) 178条の規定と192条の規定との関係

動産物権変動に関する現在の法状況を否定的にとらえるときは、次のような対処をすることが考えられる。

(a) 178条の規定と192条の規定との区別の明確化

一方では、178条の規定の適用領域を確保することで、178条の規定と192条の規定との区別を明確化することが考えられる。これまでみてきた解釈論のうち、次に掲げる見解は、この方向性に位置づけることができる。

第1は、178条の「引渡し」から、占有改定による引渡しを除くものである(→92頁)。この理解によれば、①では、AとCとの間の優劣は、現実の引渡しの先後によって定まる。この場合には、Aが178条の規定によりBから所有権を取得したことを第三者であるCに対抗することができれば、Cが192条の規定により保護される余地はない。Bは、甲の占有を有しないからである。

第2は、192条の規定の適用範囲を限定する解釈論である。178条の「引渡し」に占有改定が含まれるとしても、192条の規定の適用範囲が狭められれば、それだけ178条の規定による優劣の決定が尊重される。この方向性をとるならば、占有改定による即時取得は、これを否定すべきこととなる(→106頁)。

(b) 178条の規定と192条の規定との内容の平準化

他方では、178条の規定と192条の規定との内容を平準化することを目指す方向性が考えられる。平準化の方法としては、178条の規定の解釈論において、192条の規定とのバランスを考慮するものと、192条の規定の解釈論において、178条の規定の基礎に据えられた考え方を取り込むものとがある。

前者に属するのは、178条の「第三者」の主観的範囲について、背信的悪意者排除論をとらずに、これを善意無過失の第三者に限定する見解である(→99頁)。この見解は、①が②と同じように解決されている事態を意識して、178条の「第三者」の主観的範囲を192条の規定に準じて解釈するものである。

これに対し、後者に属するのは、占有改定による即時取得についての類型論である(→107頁)。この見解によれば、②については、否定説をとるべきであるものの、①については、折衷説をとるべきであるとされる。①では、AとCとの間の優劣は、178条の規定が本来その適用を予定している関係、すなわち対等な競争者間の関係を規律するルールによって定められるべきものと考えられるからである。

第6章

立木の独立性と物権変動

立木は、原則として、土地の一部を構成する。そのため、立木については、まず、立木を独立の物として、物権の客体とすることができるかどうかが問題となる。これが認められると、次に、立木の物権変動について、どのようなルールが適用されるのかが問題となる。つまり、立木については、その独立性と物権変動との双方を検討する必要がある。

I 立木の法的性格

1 土地の一部としての立木

立木は、土地の定着物であるから、不動産に当たる（86条1項）。不動産のなかには、土地から独立した物もある。建物は、土地から独立した不動産であるとされている（370条本文参照）。これに対し、立木は、原則として、土地の一部を構成する。このように、不動産であるかどうかと、独立の物であるかどうかとは、別の次元の問題である。

2 独立の物としての立木

もっとも、実務では、古くから、立木を独立の取引対象とする慣行があった。この慣行を尊重して、法的にも、立木を独立の物として取引することが認められている。そのための方法としては、2つのものがある。

(1) 立木法による登記

第1は、立木法(りゅうぼくほう)による登記を備えることである。一筆の土地または一筆の土地の一部に生立する樹木の集団について、所有者が立木法による所有権保存登記を備えたときは、その樹木の集団は、立木法上の立木となる（立木1条）。

立木法上の立木は、建物と同じように、土地から独立した不動産である（立木2条）。そのため、立木法上の立木は、土地から分離してこれを譲渡したり、抵当権の目的としたりすることができる（同条2項）。立木法上の立木について、譲渡がされたことや抵当権が設定されたことを第三者に対抗するためには、その旨の立木法による登記を備えなければならない（立木12条以下）。

(2) 明認方法

第2は、明認方法を施すことである。個々の樹木については、立木法による登記を備えることができない。また、樹木の集団であっても、近いうちに伐採することが予定されているときなどは、立木法による登記を備えることを期待することができない。

そこで、判例上、立木の所有者は、明認方法を施すことで、立木を独立の物として取引することができるとされてきた。具体的には、木の皮を削り、所有者名を墨書するといった方法がとられる。しかし、この方法では、立木法による登記とは異なり、権利の内容を詳しく公示することができない。そのため、明認方法は、抵当権の設定を公示するものとしては、これを用いることができないとされている。

以下では、明認方法による公示に関するルールを扱った（Ⅱ）うえで、明認方法の意義について検討をおこなう（Ⅲ）。

Ⅱ　明認方法による公示

1　立木所有権の譲渡と留保

(1) 立木所有権の譲渡

① 立木の譲渡 対 立木の譲渡　　Aが所有する甲土地の上に生立する乙立

木について、ＡからＢへと売却がされた後、ＡからＣへと売却がされた。乙立木の所有権の取得について、ＢとＣとの間の優劣は、乙立木について、どちらが先に明認方法を施したかによって定まる。

② 土地＋立木の譲渡 対 土地＋立木の譲渡　Ａが所有する甲土地およびその上に生立する乙立木について、ＡからＢへと売却がされた後、ＡからＣへと売却がされた。Ｃが甲土地について所有権移転登記を備えたときは、Ｃは、甲土地の所有権の取得のみならず、乙立木の所有権の取得についても、第三者であるＢに対抗することができる。もっとも、この場合において、Ｃが甲土地について所有権移転登記を備える前に、Ｂが乙立木について明認方法を施したときは、Ｂは、乙立木の所有権の取得については、第三者であるＣに対抗することができるとみるべきである（反対：大判昭和９・12・28民集13巻2427頁）。

③ 立木の譲渡 対 土地＋立木の譲渡　Ａが所有する甲土地の上に生立する乙立木について、ＡからＢへと売却がされた後、甲土地および乙立木について、ＡからＣへと売却がされた。乙立木の所有権の取得について、ＢとＣとの間の優劣は、Ｂが乙立木について明認方法を施した時と、Ｃが甲土地について所有権移転登記を備えた時または乙立木について明認方法を施した時（このことについて、②を参照）との先後によって定まる。

⑵ 立木所有権の留保

Ａが所有する甲土地とその上に生立する乙立木とのうち、甲土地のみがＡからＢへと売却され、乙立木の所有権は、Ａに留保された。その後、ＢからＣへと甲土地および乙立木が売却された。この場合において、Ａが乙立木の所有権を留保したことを第三者であるＣに対抗するためには、乙立木について明認方法を施さなければならない（最判昭和34・８・７民集13巻10号1223頁）。

2 明認方法の存続

Ａは、Ｂに対し、自分が所有する甲土地の上に生立する乙立木を売却した。Ｂは、乙立木についていったん明認方法を施したものの、その明認方法は、雨水により消えてしまった。その後、Ａは、Ｃに対しても、乙立木を売却した。明認方法は、第三者が利害関係を取得した時に存続していなければならない

（最判昭和36・5・4民集15巻5号1253頁）。したがって、この場合には、Bは、乙立木の所有権の取得を第三者であるCに対抗することができない。

Ⅲ　明認方法とは

1　物権変動の対抗要件と物の独立化の要件

明認方法の意義については、次の2つの見解がある。

第1の見解によれば、明認方法は、もっぱら立木の物権変動の対抗要件の役割を果たすものである。すなわち、土地に生立する立木が売却されたときは、その立木は、明認方法が施される前に独立の物となり、売主から買主への立木所有権の移転の効力が生ずる。明認方法は、この物権変動を第三者に対抗するための要件に位置づけられる。

これに対し、第2の見解によれば、明認方法は、立木の物権変動の対抗要件にとどまらない。立木は、原則として、土地の一部を構成する。明認方法は、その例外として、立木を独立の物とするための要件である。したがって、立木について明認方法が施されたときにはじめて、その立木について物権変動が生ずることとなる。

以上の議論を踏まえつつ、明認方法による公示に関するルール（Ⅱ）について、あらためて検討をおこなう。

2　立木所有権の譲渡と留保

(1)　立木所有権の譲渡

Aが所有する甲土地の上に生立する乙立木について、AからBへと売却がされた後、AからCへと売却がされた。この場合には、BとCとの間の優劣は、乙立木についての明認方法の先後によって定まる（→115-116頁）。この結論は、第1の見解をとっても、第2の見解をとっても変わらない。もっとも、その説明の仕方が異なる。

第1の見解によれば、BとCは、乙立木について明認方法を施す前に、それぞれ乙立木の所有権を取得する。そして、明認方法を先に施したほうが、その所有権の取得について対抗要件を備えることとなる。他方、第2の見解によれば、乙立木について明認方法が施される前は、乙立木は、甲土地の一部を構成する。したがって、この段階では、ＢとＣは、どちらも乙立木の所有権を取得することができない。そして、明認方法を先に施したほうが、乙立木の所有権を取得するとともに、その対抗要件を備えることとなる。

(2) 立木所有権の留保

Ａが所有する甲土地とその上に生立する乙立木とのうち、甲土地のみがＡからＢへと売却され、乙立木の所有権は、Ａに留保された。その後、ＢからＣへと甲土地および乙立木が売却された。この場合には、Ａは、乙立木について明認方法を施さなければ、乙立木の所有権の留保を第三者であるＣに対抗することができない（→116頁）。

第１の見解によれば、この結論は、「留保もまた物権変動の一場合」であること（前掲最判昭和34・８・７）、つまり、乙立木について、Ａ→Ｂ→Ａという物権変動が生じたことから導かれる。しかし、Ａは、乙立木の所有権を留保している以上、その所有権は、Ａのもとから動いていないはずであると批判されている。これに対し、第２の見解によれば、留保について明認方法が求められるのは、当然のことである。ＡがＢに対し、乙立木の所有権を留保して甲土地のみを売却したとしても、乙立木について明認方法を施す前は、乙立木は、甲土地の一部を構成するものとして、その所有権がＡからＢへと移転する。この段階では、Ｂは、Ａに対し、留保の合意に反してはならない債務を負担するにすぎない。Ａは、乙立木について明認方法を施したときに、乙立木の所有権をＢから復帰的に取得するとともに、その対抗要件を備えることとなる。

3　明認方法の存続

不動産登記については、登記官の過誤によって登記が抹消されたとしても、その対抗力は、失われないものとされている（→86頁）。この場合には、登記が抹消されたことについて、権利者に帰責性がないからである。これに対し、明認方法は、第三者が利害関係を取得した時に存続していなければ、その対抗力は、失われるものとされている（→116-117頁）。

第１の見解からは、両者の扱いが異なることを批判するものが有力である。そのなかには、明認方法についても、その消滅について権利者に帰責性がないときは、対抗力は、失われないものとみるべきであるという考え方と、反対に、不動産登記についても、第三者が利害関係を取得した時に存続していなければ、その対抗力は、失われるものとみるべきであるという考え方とがある。他方で、第２の見解は、両者の扱いが異なることを正当化することができるとしている。この立場によれば、明認方法は、物の独立化の要件である。そのため、立木について明認方法が消滅したときは、その立木は、ふたたび土地の一部を構成することとなるものとされる。

これに対し、両者の扱いは、そもそも異ならないと捉える見解がある。それによれば、明認方法は、その性質上、消滅のおそれが高い。そのため、明認方法が消滅したときは、その消滅について権利者に帰責性があるとされることが多い。明認方法について、一般論としてその存続が求められているのは、そのためであるとされる。

明認方法が用いられる場面

明認方法は、立木のほか、①未分離果実・稲立毛（いなたちげ）、②温泉専用権についても用いられる。①では、明認方法として、所有者名を付した立札をたてたり、周囲を縄張りしたりする方法がとられる。未分離果実・稲立毛の物権変動については、明認方法は、対抗要件である引渡しの一方法であるとするものがある（大判大正５・９・20民録22輯1440頁、大判昭和13・９・28民集17巻1927頁）。②では、温泉専用権の取得の対抗要件として、温泉組合や地方官庁の登録、立札その他の標識、源泉地の登記が考えられるとされている（大判昭和15・９・18民集19巻1611頁参照）。他方、温泉に対する現実の支配が必要であるとする見解もある。①では、立木と同じように、土地の一部を構成する未分離果実・稲立毛を、独立の物として物権の客体とすることができるかどうかが問題となる。他方、②では、まず、温泉専用権という法律に定めのない物権的権利を認めることが、物権法定主義（175条）に反しないかどうかが問題となる（→7-8頁）。

第7章

占有権

占有権は物権とされている。しかし、物の排他的支配を内容とする所有権などの物権とは異なる。占有に関する規定は、占有権の取得（180条〜187条）、占有権の効力（188条〜202条）、占有権の消滅（203条・204条）、準占有（205条）の4つに分けられている。占有を単一の視点から捉えることはできない。占有にはさまざまな内容が含まれるからである。なお、占有の移転（182条〜184条）については、すでに述べた（→90-92頁）。

I　占有権とは

1　占有・占有権

財布を持っている、部屋の中にレンタルDVDが置いてあるなど、物を事実上支配していることを占有という。占有は所有とは異なる。占有は、所有権、賃借権など実体法上の適法な権利（本権）に基づきなされることが多い。しかし、窃盗者による占有のように、本権に基づかないこともある。民法上、占有は一定の範囲で保護される。しかも、窃盗者の占有のように、本権に基づかない占有にも保護が与えられる点に特徴がある。

ところで、民法には「占有」と「占有権」という2つの用語が出てくる。しかし、この2つの言葉は明確に使い分けられていない。理論的にいえば、占有が成立すれば、占有権を取得することになり、占有権に認められるさまざまな効果を享受できることになる。結局、「占有」に対してさまざまな効果が認められるといって差し支えない。そこで、以下では、主として占有という言葉を用いることとする。

2　占有の効力

民法上、占有が成立すると、次のような効力が与えられる。

①占有の訴え　　占有に対する侵害がなされた場合には、これを排除するために占有の訴えが認められる。占有そのものを保護するためである。

②不法占有者の果実収取権　　不法占有者でも、物から生じた果実の収取が認められることがある。

③本権の推定　　占有によって適法な権利を有していることが推定されるなど、物をめぐる紛争において有利に取り扱われる。

④本権の取得　　時効取得・即時取得など、一定の占有の継続・開始により、所有権などの本権の取得が認められる。

以上のうち、①の占有の訴えが、占有に対する保護としてもっとも重要である。そこで、民法の規定の順序とは異なるが、本書ではまず①について検討を行う。次に、①の前提となる、占有の成立要件をみる。続いて、①と同様、占有に対する保護である②を検討する。その後、本権に関係する③および④をみていくこととする。

【図表7-1】　占有に認められる効力

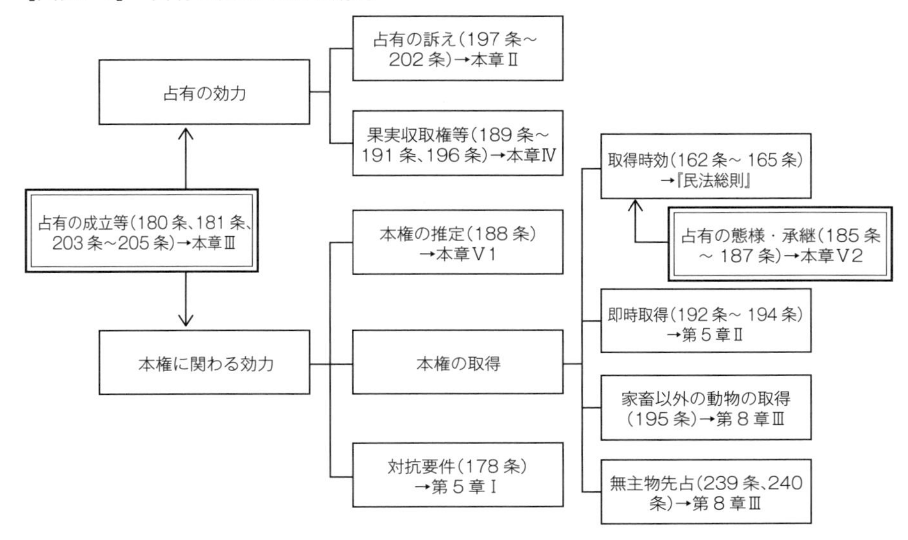

占有制度の歴史

占有に対してはさまざまな保護が与えられる。その理由は、日本の占有制度が、ローマ法におけるポセッシオ（possessio）とゲルマン法におけるゲヴェーレ（Gewere）の２つに由来することにある。

ポセッシオは、物を支配しているという状態それ自体を保護する制度である。占有の訴えのように、所有権など物を支配することを正当化する権利（本権）とは無関係に認められる。すなわち、本権と分離される。

他方、ゲヴェーレは、物を支配しているという状態が、本権をあらわすと考える制度である。占有による本権の推定のように、本権と密接不可分なものである。

日本の民法は、２つの大きく異なる制度の影響を受けている。それゆえ、占有制度を単一の視点から理解することはできない。重要なことは、占有という事実状態に対して、どのような効力が認められるかを理解することにある。

II　占有の訴え

すでに説明したとおり（→14-22頁）、所有権などの物権が侵害されているとき、または、侵害のおそれがあるとき、物権を有する者は物権的請求権を行使できる。

占有をしている者にも、占有物に対する完全な支配を維持回復することが認められている。これを占有の訴えといい（197条）、この訴えを提起するための実体法上の権利を占有保護請求権という。

1　制度趣旨

なぜ占有をするだけで、法的保護が与えられるのだろうか。この問題に対しては、以下のようにいくつかの答えが提示されてきた。しかし、いずれか１つからの説明は困難であり、複合的に説明をする必要がある。

(1) 立証困難の回避

第１の答えは、所有権など実体法上の適法な権利の証明をしやすくするため、というものである。所有権を有していることの証明は困難をともなうことが多い。そのため「悪魔の証明」などといわれる。

Ａが甲土地をＣから買い受け、所有権移転登記を行ったところ、Ｂが「私の土地だ」と主張してきて争いになった。このとき、Ａは甲に対する所有権の存在をどのように証明すればよいか。まず、ＡＣ間の売買契約書、登記などは、強力な証拠となる。しかし、Ｃが、本当に甲の所有権を有していたという必要がある。これを証明するためには、甲を原始取得した者からの所有権をすべて証明しなければならない。所有権の証明は容易ではない。そのため、占有の訴えを認める必要があるとされる。

しかし、占有（188条）ないし登記（→88頁）に本権推定力があることから、占有の訴えを認める必要性は少ないとの批判がなされている。これに対して、所有物を奪われ所有権の証明が困難をともなう場合には、占有の訴えを認めることが必要であるとの再反論がある。

(2) 債権的利用権者の保護

第２の答えは、賃借人などの債権的な利用権者を保護するため、というものである。

Ａの所有する絵画をＢが賃借し利用していたところ、Ｃに盗まれたとしよう。賃借人Ｂは賃貸人Ａに対する債権（賃借権）を有している。債権は債務者に対して主張できる権利であり、基本的に第三者に対して主張できない。つまり、ＢはＣに対して債権を主張できず、絵画の返還を主張できない。そこで、Ｂのような債権的な利用権者に、占有の訴えを認める必要があると考えられる。

しかし、賃借権に基づく妨害排除・返還請求権（不動産については605条の４）、また、債権者代位権（423条）の行使による救済が可能であるため、この考え方は占有の訴えを認める根拠として不十分であると批判される。これに対して、対抗力がない賃借権のように、第三者に対して妨害排除・返還請求権を行使できない場合に意義があるとの再反論がある。

(3) 社会秩序の維持

第３の答えは、物に対する事実上の支配をとりあえず適法なものとして尊重し、それによって社会秩序を維持するため、というものである。

Ａの所有する機械をＢが盗んだ場合、Ｂに占有の訴えを認めれば、Ａが実力でＢから機械を取り戻すことを禁止できる。私人の実力行使である自力救済を禁止するために、占有の訴えを認めることが必要であると考えられる。

しかし、後述するように（→128-129頁）、判例上、ＡがＢから実力で機械を奪い返したときに、ＢがＡに占有の訴えを提起しても、ＡのＢに対する所有権に基づく反訴が認められ、Ｂに機械が返還されることはない。結局のところ、自力救済の禁止の機能は十分に果たされていないと批判されている。そこで、ＡのＢに対する反訴を認めないとすることによって、自力救済禁止の機能を果たそうとする見解もある。

2　占有の訴えの種類

占有の訴えには、占有回収の訴え、占有保持の訴え、占有保全の訴えの３つがある。物権的請求権における、返還請求、妨害排除請求、妨害予防請求に対応する。

(1) 占有回収の訴え

Ａが所持していたカバンをＢに盗まれた場合のように、占有者Ａが占有を侵奪されたとき、侵害者Ｂに対して物の返還および損害賠償を請求できる。これを、占有回収の訴えという（200条１項）。

(a) 占有の侵奪

占有回収の訴えには、占有が侵奪されたことが必要である。ＡがＢにだまされてカバンを渡した場合、Ａの意思に基づき占有が移転しており、占有が侵奪されたとはいえないので、占有回収の訴えは認められない。また、ＡがＢにパソコンを賃貸したが、契約終了後にＢが返却しない場合も、Ａによる占有回収の訴えは認められない。

(b) 相手方

占有回収の訴えは、誰に対しても認められるか。ＡがＢに自転車を盗まれた場合、Bが自転車を占有していれば、AのBに対する占有回収の訴えは認められる。それでは、BがCに自転車を売却し引き渡してしまった場合はどうか。このとき、AのBに対する占有回収の訴えは認められない。Bは自転車を占有していないからである。なお、AはBに対して、不法行為（709条）に基づく損害賠償を請求することは可能である。

Aは、自転車の返還を請求するのであれば、現に占有しているCに対してする必要がある。ただし、Cが占有の侵奪につき善意であれば、AのCに対する占有回収の訴えは認められない（200条2項）。善意の承継人Cを保護する必要があるからである。なお、善意のCに対する占有回収の訴えが認められなくとも、所有権に基づく返還請求は可能である（193条）。

AがBに自転車を盗まれ、Bが自転車をCに賃貸している。Aによる占有回収の訴えは、誰に対して認められるか。まず、Bに対して認められる。Bが代理占有（→130頁）しているからである。また、Cが占有の侵奪について善意でなければ、Cに対しても認められる。

(c) 損害賠償

占有回収の訴えによって、占有者は、占有の回復だけでなく、損害賠償を請求することもできる。ただ、損害賠償を請求するためには、不法行為（709条）の要件を満たす必要がある。すなわち、相手方の故意・過失による占有侵害、侵害による損害の発生などを立証することが必要となる。

(d) 提訴期間

占有回収の訴えは、占有を奪われた時から1年以内に提起しなければならない（201条3項）。迅速に権利行使がなされなければ、現在の侵害状態が新たに保護すべき占有状態となってしまうからである。

(2) 占有保持の訴え

Aの占有する甲土地にBが勝手に廃棄物を捨てたというように、占有者Aが、占有侵奪以外の方法で占有を妨害されているとき、侵害者Bに対して妨害の停止（侵害の除去、原状回復）および損害賠償を請求できる。これを占有保持の訴えという（198条）。

(a) 占有の妨害

占有保持の訴えには、占有の妨害が必要である。占有保持の訴えで問題となる妨害は、主に不動産に対するものである。

(b) 相手方

Ａの占有する甲土地に、勝手に乙看板を設置したＢが、乙をＣに譲渡した場合、ＡはＢに対して妨害の停止を求められないが、Ｃに対しては求められる。同様の事例で、ＢがＣに乙を賃貸した場合、ＡはＢにもＣにも妨害の停止を求められる。

(c) 損害賠償

占有保持の訴えによって、占有者は妨害の停止だけでなく、損害賠償を請求することもできる。そのためには、不法行為（709条）の要件を満たす必要があるので、相手方の故意・過失などを立証する必要がある。妨害の停止だけを請求するのであれば、相手方の故意・過失を立証する必要はない。

(d) 提訴期間

占有保持の訴えは、妨害が存在する間またはその消滅した後１年以内に提起しなければならない（201条１項本文）。その理由は、占有回収の訴えと同じく、迅速な権利行使がなされないと、新たな占有状態が尊重されるからである。ただし、工事により占有物に損害が生じた場合、その工事に着手した時から１年を経過し、またはその工事が完成したときは、訴えを提起できない（同ただし書）。工事によって継続的に行使された事実的な支配は、占有として尊重されるべきとされるからである。

(3) 占有保全の訴え

Ａの占有する甲土地に、Ｂ所有の乙土地に生えている木が倒れてきそうである。このように、占有者がその占有を妨害されるおそれがあるとき、妨害の危険を生じさせている者に対して、その妨害の予防または損害賠償の担保を請求できる。これを占有保全の訴えという（199条）。

占有保全の訴えは、妨害の危険が存在する間は、いつでも提起できる（201条２項本文）。ただし、工事により妨害の危険が生じる場合には、工事に着手した時から１年が経過し、またはその工事が完成したときは、提起できない（同ただし書)。占有保持の訴えの場合と同様、工事による事実的支配により尊重すべき占有状態となるからである。

3　本権の訴えとの関係

占有の訴えと本権の訴え（物権的請求権の行使）はどのような関係にあるのか。問題は大きく２つに分けられる。①両方の訴えが認められる場合、②占有の訴えと本権の訴えが衝突する場合である。さらに、派生的な問題として、③双方が占有を侵奪した場合がある。

【図表7-2】　本権の訴えと占有の訴えとの関係

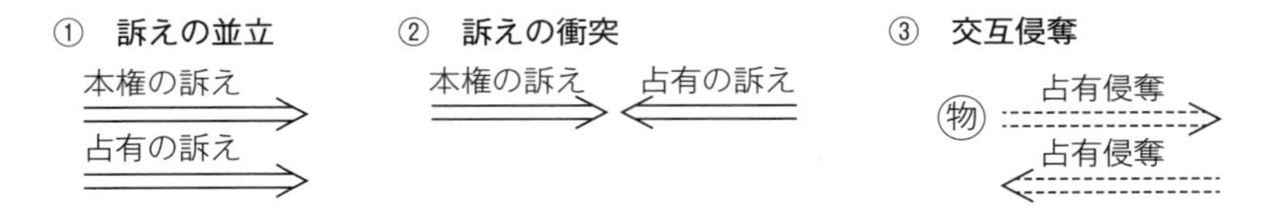

(1)　訴えの並立

まず、両方の訴えが認められる場合を考える。Aが所有し占有していた絵画を、Bに盗まれた。AはBに対して、所有権に基づく返還請求権を行使すること、または、占有回収の訴えを提起することが考えられる。Aはどちらかを選択しなければならないか、それとも両方可能か。

(a)　実体法上の考え方

民法という実体法上、所有権に基づく返還請求権と、占有権に基づく返還請求権は別個の権利である。占有の訴えは本権の訴えを妨げず、また、本権の訴えは占有の訴えを妨げないとされている（202条１項）。したがって、Aはどちらを行使してもよく、同時に行使しても構わない。

(b)　訴訟法上の考え方

民事訴訟法における判例および伝統的な見解（旧訴訟物理論）も、２つの訴訟はまったく別のものであるとする。

しかし、これらの考え方に対しては、有力な見解（新訴訟物理論）から批判がなされている。すなわち、202条１項は、実体法上、２つの請求権があることを認めているに過ぎず、訴訟において、両者の関係をどう扱うべきかは別問題である。そして、訴訟法上、どちらか一方を提起している間に、他方を提起することはできない（民訴142条）。また、一方の請求を主張して敗訴した場合、他方の請求権は訴訟上行使できない（同114条）。なぜなら、訴訟制度は効率的に利用されるべきであり、また、相手方が再度の応訴・防御を強いられることを防ぐ必要があるからである。

これに対して、裁判所による釈明権の行使（同149条）や、訴訟法上の信義則（同２条）によって、現実の問題を解決できるとする再反論もある。

(2) 訴えの衝突

次に、両方の訴えが衝突する場合を考える。Ａ所有の甲土地をＢが資材置き場として利用していたところ、ＡＢ間に紛争が生じ、Ａが甲全体をフェンスで囲ってしまった。ＢがＡに対して占有回収の訴えを提起したとき、Ａは自分が所有者であり、Ｂには利用権限がないなどと主張した。

このとき裁判所は、Ａの権利に関する主張について、判断をしてはならない。占有の訴えについては、本権に関する理由に基づいて裁判できないからである（202条２項）。これにより、Ａの自力救済を禁止している（→124頁）。

とはいえ、ＡはＢに対して、新たに訴え（反訴）を提起して（民訴146条）、所有権に基づく返還請求ができる（最判昭和40・３・４民集19巻２号197頁）。反訴は、本訴と同一の訴訟手続となる。ＢのＡに対する占有回収の訴えと同一手続で、ＡはＢに対して所有物の返還を求めることができる。なぜ反訴は認められるのか。①占有の訴えと本権の訴えには関連性があり、反訴の要件を満たすこと（民訴146条１項）、②202条は、本権を防御方法（抗弁）とすることを禁ずるが、独立の請求（反訴）とすることは禁じていないことが理由として挙げられている。

(3) 交互侵奪

続いて、双方が占有を侵奪した場合を考える。Ａが所有する甲自転車を、Ｂが賃借していた。Ｂが甲を駅前に駐輪していたところ、Ｃが甲を盗んだ。その後、Ｂは偶然、近くのスーパーで甲を見つけたのでＣに無断で取り返した。Ｃは、Ｂに対して占有回収の訴えを提起できるか。

甲の使用収益権限は、Bにある。Bが甲を窃盗者Cに返還し、Cが再びBに返還するというのは、明らかに非効率である。そこで、Bの実力行使がCによる侵奪から1年以内であれば、Cの訴えは認められないとする見解がある。Bも占有回収の訴えを提起できる（203条ただし書）からである。しかし、Cの侵奪から1年以内であれば、Cの占有に対する保護はまったく与えられないことになってしまう。

Bが甲を取り返す行為は、自力救済である。自力救済は、判例・学説上、禁止されており、自力救済の禁止が、占有の訴えを認めるべき理由の1つとされている。したがって、原則として、Cの占有回収の訴えは認められる。ただ、①ただちに実力行使をしないと、後の訴訟での権利実現がきわめて困難となること、かつ、②その手段が権利確保に必要な限度を超えないこと、以上の2点を満たす場合には、例外的に自力救済が認められると考えられる。

Ⅲ　占有の成立

1　占有の成立要件

占有の訴えが認められるためには、占有が成立していることが必要である。占有の成立要件は、①物を所持すること（物の所持）、②自己のためにする意思をもっていること（占有意思）の2点である（180条）。

(1)　物の所持

物を所持することとは、客観的にみて、物を事実上支配している状態のことである。物理的な支配は必要ない。外出中、自宅に置いてある物にも、所持は認められる。逆に物理的に支配していても占有と認められないことがある。AがBの物を盗み、Bから追いかけられている状態だと、客観的な支配はなく、Aの所持は認められないであろう。

(2)　占有意思

自己のためにする意思とは、物の所持によって事実上の利益を受けようとする意思である。これは、自分の所有物として占有する意思に限らない。他人の物を預かる場合でも、占有意思は認められる。

この意思は、本人の主観的態様によって判断されるわけではない。占有がどのような原因で行われたかによって、客観的に判断すべきとされる。たとえば、売買契約に基づいて占有を始めた者には、当然に占有意思が認められる。

ところで、意思無能力者には、事実上の利益を受けようとする意思が認められないようにも思われる。しかし、判例は、意思無能力者に占有意思が認められるとする（最判昭和41・10・7民集20巻8号1615頁）。占有の成立に当たって、占有意思という要件は、事実上機能していないとも考えられる。そのため、この要件を不要とする見解（客観説）も有力である。しかしながら、客観説によると、後述する占有補助者の占有の訴えを否定する判例（→130-131頁）と矛盾するとの指摘がある。

(3) 代理占有の場合

【図表7-3】

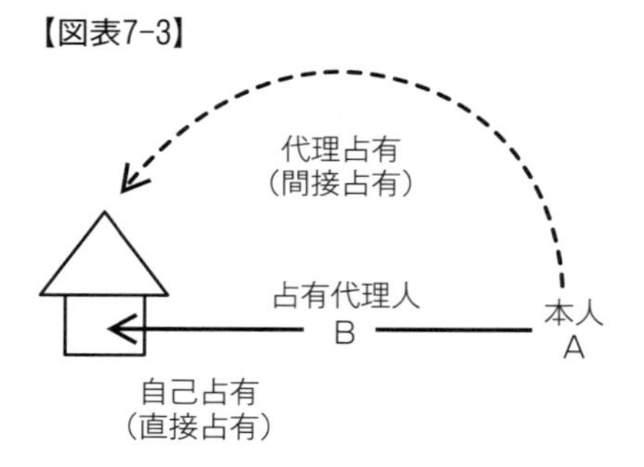

A所有の建物をBが賃借し、居住している。このとき、Aは建物を現実に占有しているわけではないが、Bを通じて占有している。このように占有は、代理人によって行うこともできる（181条）。これを代理占有という（法律行為の代理とは異なるため、間接占有ともよばれる）。他方、Bは建物を現実に占有している。このように、占有者が物を直接所持することを自己占有（直接占有）という。

Aの代理占有が成立するためには、①占有代理人の所持、②本人が占有代理人に占有をさせる意思、③占有代理人が本人のために占有物を所持する意思が必要とされる（204条1項参照）。

他人が本人のために物を所持している場合であっても、代理占有とならないこともある。たとえば、A会社の従業員Bが、A会社の支店に1人で勤務していたとしよう。判例によれば、A会社が支店を直接占有しており、Bに占有は認められない。すなわち、Bによる占有の訴えは認められない（最判昭和32・

2・15民集11巻2号270頁)。Bは占有機関または占有補助者とよばれる。

2　占有の承継

占有は事実状態である。したがって、占有はすべて原始取得するものであるとも考えられる。しかし、民法は、占有の承継取得を認めている。承継取得には、特定承継と包括承継があるが、引渡しなどの特定承継はすでに触れた(→90-92頁)。そのため、ここでは包括承継の問題を考えておこう。なお、包括承継には相続・会社の合併などがあるが、実際に問題となるのは相続である。

判例は、占有が相続されることを認める(最判昭和44・10・30民集23巻10号1881頁)。ところが、相続の場合に、常に相続人が物を所持しているといえるのか、理論的に考えると疑問が生じる。

被相続人と相続人が建物に同居していた場合、相続人に相続財産に属する建物の所持は認められる。しかし、別居していた場合、とくに相続人が建物の鍵などを持っていなかったとき、相続人に建物の所持が認められるのか。また、特定承継の場合と異なり、相続人の意思が介在しないので、相続人に占有意思があるといえるのか。

以上のような理論上の疑問はあるが、実際上、占有が相続されることは必要であると考えられている。なぜなら、第三者が相続財産を盗んだり不法占有したりした場合、相続人の第三者に対する占有の訴えが認められないことになってしまうからである。また、相続人が被相続人の占有を承継できず、一から取得時効の期間経過が必要であるとする実質的理由が存在しないからである。

なお、相続による占有の承継については、取得時効の成立要件との関係が問題となる。この点は、後述する(→138-139頁)。

3　占有の消滅

(1)　消滅原因

占有の消滅原因は、占有の成立要件に対応し、①物の所持を失ったとき、②占有の意思を放棄したときである(203条本文)。

(2) 代理占有の場合

代理占有の場合、占有が消滅するのは、①本人が代理占有させる意思を放棄したとき、②代理人が本人に対して、以後、自己または第三者のために所持する意思を表示したとき、③代理人が占有物の所持を失ったときである（204条1項）。

4 準占有

占有は、物に対する事実上の支配であり、この事実状態が保護されている。財産権を事実上支配しているといえる場合にも、保護が必要となる。そこで民法は、自己のためにする意思をもって財産権の行使をする場合に、占有に関する規定を準用している（205条）。

準占有はさまざまな権利に成立する。たとえば、債権、先取特権、抵当権のほか、鉱業権・漁業権などの準物権、著作権・特許権・商標権などの知的財産権である。中でも重要なのは、著作権などの知的財産権である。

Ⅳ 果実収取権等

ここでは、占有の訴えと同様、占有そのものに対する保護の問題を取り扱う。具体的には、不法占有者の果実を収取する権利等である。占有者と物の返還を受けた回復者（主に所有者）との関係についての問題ともいえる。

1 占有者に関する法律関係

(1) 適法占有者の場合

Ａ所有の甲土地をＢが賃借権、すなわち、適法な権原に基づいて占有していたとする。この場合、Ｂは、ＡＢ間の契約に従って、甲を利用できる。また、ＢがＡの許可を得て甲をＣに転貸していれば（612条1項）、Ｃから転貸料を受け取ることができる。このように、適法な占有が行われている場合、占有者Ｂが取得する使用利益・果実の権利関係は、ＡＢ間の契約によって定まる。

(2) 不法占有者の場合

以下で検討するのは、A所有の甲土地をBが適法な権原に基づかずに占有している場合の法律関係である。原則論からすれば、次のように考えられる。

Aは所有権に基づき、Bに対して甲の返還を請求できる。また、Bが甲から果実を取得している場合、AはBが善意の場合には現存利益を、悪意の場合には果実とその利息の返還を請求できる（703条・704条）。Bが故意・過失に基づき甲に損害を与えていれば、Aは不法行為に基づく損害賠償を請求できる（709条）。逆に、Bが甲に支出した費用があり、Aにその利益が存在する場合には、その限度においてBはAに不当利得の返還を請求できる（703条）。

しかし、民法は不法占有者と回復者の法律関係について、後述するように特別な規定を置いている。

(3) 善意占有・悪意占有

ところで、不法占有者と回復者の法律関係を検討するに当たっては、善意占有・悪意占有という概念を理解しておく必要がある。

A所有の甲土地をBが賃借し占有していたところ、Bが死亡しCが相続人となった。CはAB間の賃貸借契約を知らず、相続によって甲が自分の所有物になったと信じ占有している。これが善意占有の例である。売買・賃貸借など、適法な権原に基づくものと信じて行われる占有を善意占有という。適法な権原があることを信じていない、あるいは、疑いを持ちながら行う占有を悪意占有という。この区別は、取得時効、即時取得などの場合にも意味を持つ。

ここでいう善意は、「ある事実を知らないこと」ではない。所有権などの本権に基づくと信じて物を占有することをいう。

2 善意占有者の果実収取権

(1) 果実収取権

所有物から生じた果実は、所有者に帰属する（89条）。しかし、善意占有者は、占有物から生じる果実を取得できるとされている（189条1項）。ここでいう果実には、農産物などの天然果実、賃料などの法定果実が含まれ、また、使用利益も同様に扱われる。善意占有者が果実を取得できる理由は、多くの場合、自己の物だと信じて占有物に対して一定の労力や資本を投下しているので、返還をさせるのは酷であるからなどといわれている。

(2) 未消費果実の扱い

善意占有者が収取した果実が消費されずに残存していた場合、これを回復者に返還させるべきか。学説の中には、消費されていない果実は、回復者に返還されるべきであるとする考え方もある。この考え方によれば、189条1項は、現存利益の返還を認める不当利得の規定（703条）を確認するに過ぎない。

しかし、通説は、189条1項は果実の帰属そのものを定めたものであり、善意占有者は消費されていない果実について回復者に返還する必要はないと理解する。占有者の労力・資本の投下、また、回復者の怠慢があるからである。そして、理論的に、189条1項を不当利得の特則規定と位置づける。

なお、善意占有者であっても、本権の訴えにおいて敗訴したときは、その訴えの提起の時から悪意の占有者とみなされる（189条2項）。訴えが提起された時点で、後に返還義務を負うことを覚悟しなければならないからである。

(3) 占有物の返還・損害賠償

善意占有者でも、占有物それ自体は当然に返還しなければならない。また、善意占有者が、故意・過失によって、占有物を滅失・損傷させた場合、本来的には、不法行為（709条）に基づき回復者に損害賠償（価格賠償）をしなければならない。

しかしながら、善意占有者は現存利益の範囲で賠償をすればよいとされる（191条本文）。善意占有者は、占有物を自己の物として取り扱っており、他人の物として取り扱っていないため、占有物を慎重に扱うように要求できない。善意占有者保護のため、賠償義務が軽減されている。ここでいう滅失には、物理的滅失だけでなく、紛失などの場合も含まれる。損傷には、物理的損傷だけでなく、占有物の過度な利用などによる価値下落も含まれる。

なお、他人の物として占有している者（他主占有者→138頁）は、善意であってもこのような保護を受けられず、後述の悪意占有者と同様に扱われる。もともと他主占有者は、占有物の返還義務を負っているからである。

3　悪意占有者の果実返還義務

他人の所有物を、適法な権原に基づかないと知り、または疑いを持ちながら占有をする者（悪意占有者）は、果実を取得できるか。

これはもちろんできない。悪意占有者は、果実を返還し、かつ、すでに消費し、過失によって損傷し、または収取を怠った果実の代価を償還する義務を負う。暴行もしくは強迫または隠匿によって占有している者も同様である（190条）。善意占有者の場合と異なり、悪意占有者に果実を帰属させるべき理由は何もないからである。

回復者は悪意占有者に対して、不法行為に基づく損害賠償も請求できる（709条）。190条は、果実の返還・償還に関する規定である。それ以外に生じた損害について、回復者の損害賠償請求は妨げられない。

悪意占有者が、責めに帰すべき事由によって占有物を滅失・損傷させた場合、回復者に対し損害の全部を賠償しなければならない（191条本文）。ここでも、善意占有者の場合とは異なり、悪意占有者を保護すべき理由はないからとされる。

4　費用償還請求権

A所有の甲建物を、無断でBが占有している。Bが、台風で損壊した甲の屋根を修繕し、また、浴室をリフォームした。この場合、BはAに費用の償還を請求できるか。民法は、支出された費用が必要費か有益費かを区別した上で、定めを置いている。

(1)　必要費の償還請求権

他人物の占有者は、その物の保存のために支出した金額その他の必要費を回復者から償還させることができる（196条1項本文）。必要費とは、たとえば、建物の修繕費用や固定資産税である。Bが不法占有者であっても、甲の屋根を修繕し、その結果、回復者Aが甲の原状を維持できているのであれば、費用はAが負担すべきである。

ただし、果実を取得したBが善意占有者であった場合、通常の必要費を回復者に償還請求することはできない（196条１項ただし書）。通常の必要費とは、電球の交換・庭の雑草処理費、税金の負担など、日常的な使用にともなって必要とされる費用である。果実取得者は、占有物から生じた果実により利益を得ているので、占有物の保存に通常必要な費用を負担するのは当然である。他方、台風などの災害で損壊した建物の修繕費は、これに当たらない。

(2) 有益費の償還請求権

他人物の占有者は、その物の改良のために支出した金額その他の有益費について、その価格の増加が現存する場合に限り、回復者から償還させることができる。この償還額は、回復者が、支出した金額か増価額のいずれかを選択できる（196条２項本文）。有益費とは、たとえば、建物の増改築費用である。

有益費は、物の利用価値を増加させるための費用である。物の維持に必要な費用ではないため、回復者が望まない場合に、この負担を負わされてはならない。また、占有者による利得の押しつけがあってはならないため、価格の増加が現存している場合に限定され、かつ、回復者に選択権が認められている。

なお、悪意占有者が償還請求をした場合、裁判所は、回復者の請求により、その償還について相当の期限を許与することができる（196条２項ただし書）。

V 本権にかかわる効力

1 本権の推定

本権にかかわる占有の効力として、まず、所有権などの本権の推定が挙げられる。すなわち、占有者が占有物について行使する権利は、適法に有するものと推定される（188条）。前述のように（→123頁）所有権の証明は容易ではないため、占有をしているという事実のみを主張・立証すれば、所有権の存在が推定される。

ただし例外がある。第１に、不動産の占有で推定が働かない場合である。Ａ名義の登記がなされている甲土地をＢが占有していた。本権を推定されるのは登記名義を有するＡであり、占有者Ｂではない。不動産については登記に推定力が認められており（→88頁）、これが占有の推定力に優先する。ただし、登記名義を有するＡに所有権などの本権が認められないことが証明された場合、占有者Ｂの本権が推定されると考えられる。

第２に、前主との関係では、推定が認められない。Ａ所有の甲土地を占有するＢが、甲をＡから賃借したと主張していた。このとき、Ｂが甲を占有していても、Ｂの賃借権は推定されない。この場合、賃借権の存在が争われており、契約の有効性が検討されなければならないからである。

2　取得時効の要件としての占有

(1)　取得時効の要件

占有には、他の要件と結びついて、所有権などの本権の取得をもたらす効力がある。即時取得についてはすでに説明をしたので（→100-110頁）、ここでは、取得時効について検討を行う。

Ａ所有の甲土地をＢが長年占有していたとき、Ｂはどのような要件を満たせば甲を時効取得できるか。取得時効の要件は、①20年間、②所有の意思をもって、③平穏に、かつ、④公然と、⑤他人の物を、占有することである（162条１項）。さらに、占有者が、⑥占有の始めに善意・無過失である場合には、占有期間が10年であっても取得時効が完成する（同条２項）。

取得時効の完成を主張したいＢは、①〜⑥について、どのようなことを主張・立証しなければならないのか。占有者は、所有の意思をもって、善意で、平穏に、かつ、公然と、占有をするものと推定される（186条１項）。したがって、占有者であれば、取得時効の要件である②〜④を満たしていると推定される。⑤は自己の物でもよいとされている。したがって、Ｂはこれらを立証する必要はない。

また、①⑥の占有期間については、占有開始時と時効期間の満了時の占有をした証拠があれば、その間占有が継続していたものと推定される（同条２項）。なお、⑥のうち善意であることは推定されるが、無過失については推定されない（大判大正８・10・13民録25輯1863頁）。

結局、Ｂは甲土地を20年以上占有しているのであれば、占有の事実のみを主張・立証すればよい。Ｂの占有期間が10年以上であるが20年に満たない場合には、占有の事実と、占有の始めに自己に所有権があると信じたことにつき過失がないこと（無過失）を主張・立証すればよい。

(a) 自主占有

上述②の所有の意思に基づき行う占有を、自主占有という。所有の意思に基づく占有であるかどうかは、外形的、客観的にみて判断される。無主物先占（→151頁）が認められるためにも、この自主占有が必要とされる。

他人の占有（代理占有）を通じて、自主占有することもある。A所有の甲土地を無断でBが自分の物として占有している場合、Bが甲をCに賃貸しても、Bの自主占有となる。

自主占有と対になるのが他主占有である。所有の意思なく他人の物として占有することである。A所有の甲土地を賃借しているBは、甲を他主占有していることになる。他主占有者に時効取得が認められることはない。

他主占有が自主占有に変わることがある。たとえば、Aの所有物を賃借していたBが、Aに対して「これは私の物だ」というように、所有の意思を表示した場合、他主占有が自主占有に変更される（185条）。

(b) 相続による他主占有から自主占有への転換

前述したように（→131頁）、相続によって占有は承継される。それでは、相続がなされると、相続人は常に占有を承継することになるのか。すなわち、相続人は被相続人の他主占有を引き継ぐのか、それとも新たに自主占有を開始し、取得時効が認められるのか。

判例は、相続人が相続により所有の意思をもって占有しているときに、自主占有が開始することを認める（最判昭和46・11・30民集25巻8号1437頁）。その根拠として、相続が他主占有から自主占有への変更原因である「新たな権原」（185条）に当たることが考えられる。

なお、このとき、相続人は自ら所有の意思があることを証明しなければならない（最判平成8・11・12民集50巻10号2591頁）。民法上、占有者には所有の意思があることが推定される（186条1項）。しかし、被相続人が他主占有していたにもかかわらず、相続人が自主占有を主張する場合には、性質変更という事情がある。そのため、この規定は適用されない。

(i) **占有者の選択権**　Aの占有をBが承継した場合、Bは自己の占有のみを主張することも、自己の占有に前の占有者Aの占有を併せて主張することもできる（187条1項）。自己の占有と前の占有者の占有とを併せるかどうかについては、占有者に選択権が認められる。なお、前々主の占有を併せることも可能である。

(ii)　**占有合併による有利・不利**　Bが取得時効の成立を主張するとき、Aの占有を併せることにより、時効期間が満たされやすくなるというメリットがある。Aがある土地を12年間占有している場合、Aの承継人Bは8年間の占有で、取得時効の完成を主張できる（162条1項）【図表7-4】。

【図表7-4】

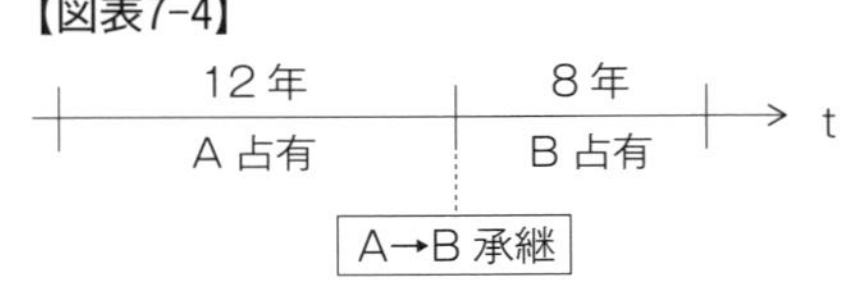

しかし、Aの占有を併せることが、Bに常に有利になるとは限らない。なぜなら、BはAの瑕疵を承継するからである（187条2項）。Aが甲土地を8年間悪意で占有し、Bが10年間善意無過失で占有している。Bは自己の占有にAの占有を併せて主張する場合、18年間の悪意占有となる【図表7-5】。この場合、取得時効は成立しない。他方、Bは、自己が善意無過失で10年間占有したことを主張すれば、取得時効の成立が認められる（162条2項）。

【図表7-5】

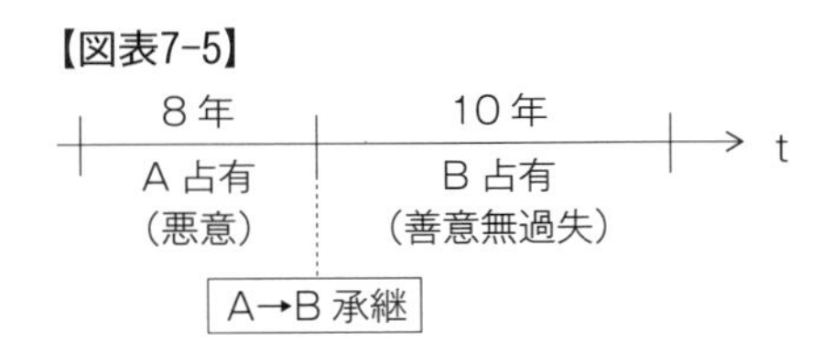

(iii)　**悪意占有者の善意占有承継**　ある土地をAが善意無過失で7年間占有し、Bが悪意で8年間占有をした場合、取得時効が成立するか【図表7-6】。

【図表7-6】

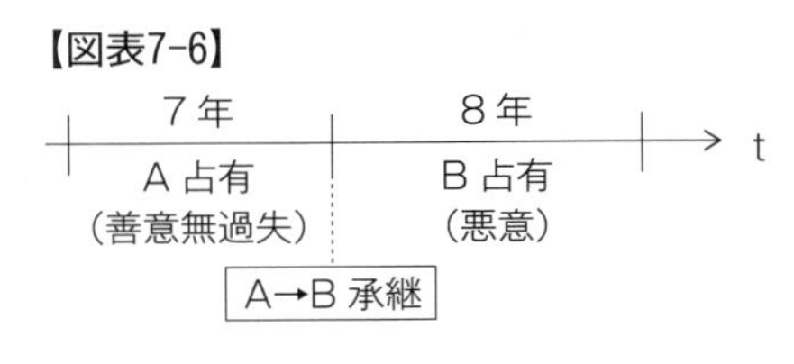

判例は、Aの善意無過失に基づき、Bは10年間の取得時効の完成を主張できるとする（最判昭和53・3・6民集32巻2号135頁）。その理由は2点挙げられている。第1に、民法162条2項は、善意の判断基準時を明確に「占有の開始の時」としているからである。第2に、善意占有者が後に悪意占有者となっても時効完成は認められるところ、占有主体が変更した場合に区別すべき理由がないか

らである。

⑵ 取得時効不成立の主張・立証

Ａの土地をＢが占有している。Ｂの取得時効完成を阻止しようとするＡは、どのようなことを主張・立証しなければならないのか。取得時効の要件が満たされなければよいので、Ａは以下のいずれかを主張・立証すればよい。

①所有の意思がないこと　Ｂが賃借人であるなど、他主占有者であれば、所有の意思はない。なお、賃借権などの他主占有権原が証明できない場合でも、他主占有事情を証明すればよい（最判昭和58・３・24民集37巻２号131頁）。他主占有事情とは、外形的、客観的にみて、占有者が他人の所有権を排斥して占有する意思を有していなかったものと考えられる事情である。これは、所有権移転登記をしなかったなど、真の所有者であれば通常とらない態度を示したことや、固定資産税を負担しなかったなど、所有者であれば当然とるべき行動にでなかったことである。とはいえ、これらが常に他主占有事情となるわけではないので（最判平成７・12・15民集49巻10号3088頁）、個別具体的に判断するしかない。

②占有が平穏でないこと　Ｂが暴行・強迫などの行為を用いていた場合、平穏な占有ではない。なお、ＢがＡから返還・明渡請求を受けただけでは、平穏な占有であることに変わりはない（最判昭和41・４・15民集20巻４号676頁）。

③占有が公然でないこと　隠匿していることである。不動産についてはあまり考えられないが、動産については隠匿がありうる。

④占有が継続していなかったこと　占有者が占有を中断していたり、他人に占有を奪われていたりすると、占有が継続していなかったことになる（164条）。

なお、Ｂの占有期間が20年未満であるときは、①～④以外に、⑤Ｂの占有が善意無過失で開始されなかったことを主張・立証してもよい。

第8章

所有権

所有権は、物権、さらにいえば私法上の権利の中で、もっとも基本的な権利である。所有権とはどのような内容の権利か（206条・207条）、土地所有権の特殊性は何か（209条～238条）、所有権はどのように取得されるのか（239条～248条）、複数人が1つの物を共同で所有する場合はどのような関係となるのか（249条～264条）、所有者が不明である土地等にどのように対応するのか（264条の2～264条の14）などが問題となる。

I　所有権とは

1　近代的所有権の成り立ち

(1)　封建的所有権

近代以前の封建社会においては、所有権の内容は不明確であった。土地に着目すると、封建社会では、領主が領有権（上級所有権）を有し、農民は土地の保有耕作権（下級所有権）を有していた。これらの上級所有権・下級所有権には、土地に対する権利にとどまらない権利義務関係が含まれていた。たとえば、領有権を有する領主は、農民に賦役を課す（労働をさせる）ことができた。また、農民は、土地を移動したり、結婚・相続をしたりする場合に、領主の許可を得る必要があった。いわば、身分関係の上下が、そのまま、土地の上級所有権・下級所有権という形であらわれていた。

⑵　近代的所有権

フランス革命をはじめとする近代市民革命は、自由・平等というスローガンの下、身分関係を消滅させること（封建主義の打破）を目指した。これにより、権利能力平等の原則が生み出された。それと同時に、身分関係を反映した上級所有権・下級所有権についても、新たに構成をし直す必要が生じた。そこで、身分的な関係などの人的要素が取り除かれ、所有権は単純に物に対する権利であると再構成されることになった。このようにして生まれたのが、近代的所有権である。

近代的所有権の特徴として指摘されるのは、所有権の自由、所有権絶対の原則である。もっとも、所有権の自由というと、所有物に対しては何をしても自由であるかのように聞こえる。また、所有権絶対の原則というと、所有権は絶対であり、完全無欠な権利であるかのようにも思える。しかし、あくまで封建的拘束の否定を意味するに過ぎない。

2　所有権の内容

所有者は、法令の制限内において、自由に所有物を使用・収益・処分することができる（206条）。所有者は所有物について、自らの使用、第三者への賃貸、抵当権などの担保権設定、売却などができる。すなわち、所有権は物を全面的に支配して利益を得ることができる権利である。しかし、所有権にはさまざまな制限が存在する。206条は、所有権の自由が「法令の制限内」で認められるに過ぎないことを明確に定めている。制限の存在は当然の前提である。

所有権を制限するものとして、多くの行政法規が挙げられる。その目的は、社会一般の安全（建築基準法）、公共施設の建設・維持（道路法、航空法、河川法）、自然環境・文化財の保護（文化財保護法）、公害防止（大気汚染防止法）、土地利用や都市環境の維持・形成（都市計画法、土地区画整理法）など多様である。

また、私法上にも制限が存在する。たとえば、土地所有権については、相隣関係（209条～238条）による制限がある（→145-150頁）。また、特別法（建物の区分所有等に関する法律など）による制限もある（→177-182頁）。権利濫用禁止規定（1条3項）により、所有権の行使が制限される場合もある（→ NBS『民法総則』）。

所有権、とりわけ土地所有権に対しては多くの制限が存在するが、それでもなお不十分だとする見解が有力である。環境や景観などを維持するため、より多くの制限をなすべきだとされる。背景には、土地所有権は本来、社会全体のものであるという思想がある。しかし、土地所有権はあくまで個々の人に帰属するというのが、資本主義の前提である。両者をどのように調整するのかは時代や考え方により異なる。

所有者不明土地問題と令和3年の立法

人口減少・高齢化の進展などに伴い利用されない土地が増加している。利用されていない土地の多くは、利用価値が低く、売り手が見つからないどころか、無償でも引き取り手が見つからない。このような土地に対する権利意識は希薄となり、管理がされなくなる。相続されても登記がされず、登記記録を見てもすぐには所有者がわからないこととなる。

そこで、令和3（2021）年、民法・不動産登記法の改正、相続土地国庫帰属法の制定等がなされた。所有者不明土地の発生を予防するため、相続登記の申請が義務化されるとともに（→82頁）、相続により土地所有権を取得した者が法務大臣の承認を受けてその土地所有権を国庫に帰属させる制度が創設された（→151頁）。また、所有者不明土地の利用の円滑化を図るため、所有者不明土地管理制度等が創設された（264条の2以下。→177頁）。あわせて、相隣関係（209条、213条の2～3、233条）、共有（249条、251条、252条、252条の2、258条、258条の2、262条の2～3、264条）、相続（たとえば898条、908条）等について改正が行われた。

II　土地所有権の内容と制限

土地は他の物と比べると有限であり、また、生活・営業の基盤となるため重要である。そして、以下のような特殊性を有する。

第1に、土地の範囲は外形的に明確ではない。本などの動産は、見たり手に持ったりすれば、1つの物を容易に認識できることが多い。他方、土地の場合、どこからどこまでが1つの土地か容易に認識できない。たしかに、塀などの囲い・杭などがあれば、１つの土地として認識できるようにも思える。しかし、土地の一部かもしれないし、複数の土地から成り立っているかもしれない。法律上は、登記によって１つ（一筆）の土地が定められる（→78頁）。

第２に、土地は隣地と接しているので、必然的に隣地との関係（相隣関係）が問題となる。たとえば、隣地を通らないと公道に出られない場合、どうすべきかを考える必要がある。

1　土地所有権の及ぶ範囲

土地所有権は上下のどこにまで及ぶのか。民法上、土地所有権は、土地の上下に及ぶとされる（207条）。これを素直に読めば、土地の上下について無制限に所有権の効力が及ぶようにも思える。しかし、このように解すると、飛行機などが空を飛ぶことができなくなる。そこで、土地所有権が及ぶのは、土地利用によって利益を得られる範囲に限られると解されている。具体的に、地上何メートル、地下何メートルにまで及ぶ、と明確にすることはできず、土地ごとに個別に判断するしかない。

(1)　地上

地上は空間なので、土地を構成しているわけではない。しかし、土地所有権の効力は及ぶ。飛行機・ヘリコプターなどが、自分の土地の上を飛ぶことを防げるか。基本的には、よほどの低空でない限り防げない場合が多いであろう。法律上、人・家屋が密集している地域では、半径600m 以内のもっとも高い障害物から、300m 以上の高度をとらなければならない（航空81条、同施行規則174条）。これは、あくまで航空安全上の観点から定められているが、建物の高さから300m 以上については、所有権の効力が及ばないことを前提にしているとも考えられる。

(2)　地下

逆に地下はどうか。地中の石、地下水、温泉などは、土地の構成物であるので、当然に所有権の効力が及ぶ。地下鉄、上下水道管、ガス管、電線、さらには道路など多くのものが地下を通っているが、この場合、区分地上権（269条の

2）という利用権が設定されていることが多い（→189頁「区分地上権」）。該当部分について、土地所有者と利用権者の合意により、利用権が設定されている。

(a)　大深度地下

しかし、地下鉄・地下道路などを建設する場合、土地所有者の合意を得られないことも多い。そこで、土地所有者の合意を不要とする「大深度地下の公共的使用に関する特別措置法」が制定されている。リニア中央新幹線の建設でも、この法律が用いられる。

この法律は、東京などの大都市圏において、土地所有者などによる通常の利用が行われない深い地下部分（大深度地下）について、公共の利益となる事業のために、一定の要件、手続のもとに、事業者の利用を認めるものである。大深度地下とは、たとえば、地下室建設のための利用が通常行われない深さである地下40m以深である（大深度地下2条参照）。

大深度地下においては、認可を受けた事業者には使用権が与えられ、その反面、土地所有者は権利行使を制限される（同25条）。しかし、所有権の効力が及ばないとまではいえない。土地所有権者は、損失を被った場合には、損失の補償を請求できる（同37条1項）。

(b)　鉱物の例外

地中の鉱物を採掘・取得する権利は、これを国に与えられた者にしか認められない（鉱業2条参照）。

2　相隣関係

土地同士は物理的に接しているので、ある土地の利用は隣接する土地の利用に影響を与えうる。相互の土地利用関係を調整する必要があるため、相隣関係についての規定が設けられている。相隣関係は、法律上当然に、土地所有権の内容を拡張するものであると同時に、隣地により制限を受けることを意味する（類似の機能を果たす地役権との比較について→190-191頁「地役権と相隣関係との比較」）。以下、代表的なものをみる。

(1)　隣地使用権

Aは所有する甲土地に建物を建てようとしている。足場を組む関係で、隣接するＢ所有の乙土地を利用できれば非常に便利である。民法は、Ａが甲の境界やその付近での障壁・建物の築造・収去・修繕、境界の測量、枝の切取り（233条３項）等のために必要な範囲内で、乙を使用できるとする。ただし、居住者の承諾がなければ、その住家に立ち入ることはできない（209条１項）。隣地使用にあたっては、隣地使用者のために損害が最も少ないものを選ばなければならない（同２項）。隣地使用者は、あらかじめ、その目的、日時、場所および方法を隣地所有者・使用者に通知しなければならない（同３項本文）。もしＢが損害を受けたときは、Ａに償金を請求できる（同４項）。

Ａからすると自分の土地所有権の内容が拡張される。他方、Ｂからすると、自分の土地所有権の内容が制限される。後者の観点に着目すると、相隣関係は、土地所有権制限の１つとして捉えられる。

(2) 隣地通行権（囲繞地通行権）

(a) 袋地

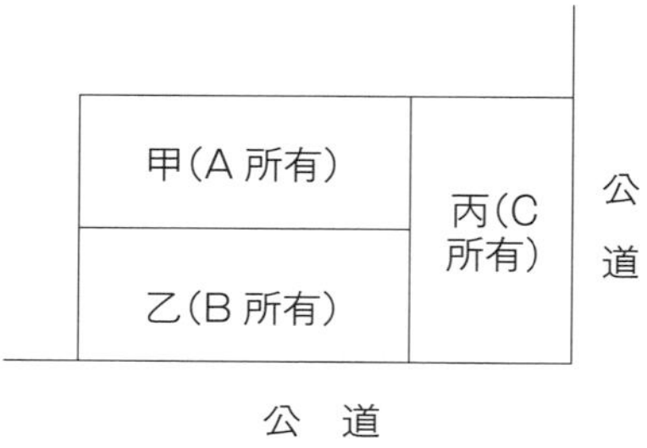

Ａ所有の甲土地がＢ所有の乙土地とＣ所有の丙土地に囲まれていて、乙か丙を通らないと、甲から公道に出られない【図表8-1】。このとき、ＢＣのいずれかがＡの通行を認め、地役権（→190-194頁）などが成立すれば問題はない。しかし、ＢＣの両者ともＡの通行を拒絶していたとすると、Ａは甲の使用をあきらめるしかないのか。

【図表8-1】

甲(A 所有)
乙(B 所有)
丙(C 所有)
公道
公　道

民法は、他の土地に囲まれていて公道に通じていない土地（袋地）の所有者は、公道に出るために、他の土地（囲繞地）を通行できるとする。また、川・池などを通らないと公道に出られないとき、崖などがあって公道との間に著しい高低差があるときも、同様である（210条）。土地の効率的利用を高めるため、袋地のための通行権が認められると考えられる。これに対して、土地の利用ができなくなると、社会経済的な損失が生じるために認められる、との見方もある。

ある土地が袋地かどうかは相対的に判断される。Aが所有する甲山林で採石事業を営んでおり、甲から公道に出る通路はあるものの、急斜面で石材を搬出できない。このとき、甲が袋地であるとして、Aの通行権が認められたことがある。また、徒歩で公道に出入りできる土地であっても袋地であるとして、自動車通行を内容とする隣地通行権が認められうる（最判平成18・3・16民集60巻3号735頁）。

(b) 通行権の内容

甲土地（A所有）が、乙土地（B所有）と丙土地（C所有）に囲まれ、袋地と認められた場合、Aは乙と丙のどちらを通行できるのか。

民法は、通行の場所・方法は、通行権者Aのために必要であり、かつ、他の土地のために損害が最も少ないものを選ばなければならないとする（211条）。したがって、Aが乙・丙のどちらの土地を通行できるかは、一概に決まらない。Aの通行の必要性と、BCの負担の程度のほか、付近の地理的状況その他の事情を考慮して決められる。

Aが、乙についての通行権を認められたとする。このとき、Aは利益を受けるが、Bは不利益を受ける。そこで、AはBの乙に対する損害について、償金を支払わなければならない（212条）。

(c) 残余地の例外

袋地の通行権に関しては、次のような例外がある。上記と同様に、甲（A所有）が、乙（B所有）と丙（C所有）に囲まれており、乙か丙を通らないと公道に出られない。実は、甲がもともとBの所有地であり、Bが甲と乙の2つに分けた（分筆（ぶんぴつ）した）上で、甲をAに譲渡したという事情があった。このように、土地の一部譲渡によって袋地ができてしまった場合、Aは乙（残余地）についてのみ通行権を有する。かつ、AはBに償金を支払う必要はない（213条）。Aは乙のみを無償で通行でき、丙を通行できない。甲・乙がもともと1つの土地（ABの共有地）で、共有物分割（256条）によりAが袋地の甲を取得した場合も同様である。

一部譲渡・分割の場合、当事者は袋地が生じることを予測できる。通行権の負担を予想し、一部譲渡費用・共有物分割の内容などを考えることができる。他方、第三者Cが不利益を受けるべき理由はない。そのため、残余地のみの通行権が成立する。

(d) 残余地の特定承継

それでは、次のような場合はどうか。上記の一部譲渡の事例で、Ａは資金が集まってから建物を建築しようと考えており、乙を通行していなかったところ、Ｂが乙をＤに譲渡し、Ｄは乙全体を塀で囲んでしまった。このとき、ＡはＤに対して乙の通行権を主張できるか、それとも、Ｃに対して丙の通行権を主張できるか。

判例は、残余地である乙の特定承継人Ｄに対して、Ａは通行権を主張できるとする（最判平成２・11・20民集44巻８号1037頁）。なぜなら、ＡＢ間の一部譲渡時に、乙についての物権的な通行権が成立しており、この負担をＤが当然承継することになるからである。また、Ｃ所有の丙に通行権を認めると、Ｃが不測の損害を被るからである。

この場合、Ｄは無償でＡの通行権を認めなければならないのか。原則は無償である。しかし、Ｄは自分の知らない事情によって無償の通行権を受け入れなければならないとすると、予測できない不利益を受ける。そこで、有力な見解は、ＡはＤに対して通行権を主張できるが、無償ではなく有償になるとする。

(3) ライフライン設備の設置・使用権

Ａ所有の甲土地は公道に接していないため、Ｂ所有の乙土地の地下を利用しなければ上下水道を通すことができない。このとき、Ｂが承諾しない限り、Ａは上下水道を利用することはできないのか。

民法は、土地の所有者が他の土地に設備を設置し、または他人が所有する設備を使用しなければ、電気・ガス・水道の供給その他これらに類する継続的給付を受けることができないときは、必要な範囲で、他の土地に設備を設置し、または他人が所有する設備を使用することができるとする（213条の２第１項）。設備の設置・使用の場所・方法は、他の土地または他人の所有する設備のために損害が最も少ないものを選ばなければならない（同２項）。設置権を行使する者は、あらかじめ、その目的、日時、場所および方法を他の土地等の所有者、現に使用している者に通知しなければならない（同３項）。設置により、償金の支払義務が生じる（同５～７項）。

⑷　境界付近の工作物

(a)　民法の規定

Ａは自己所有の甲土地に、Ｂ所有の隣地乙との境界に接して建物を築造することは可能か。

234条１項は、建物を築造するには、境界線から50cm 以上の距離を保たなければならないとする。その理由は、Ａの境界線に接した建築（接境建築）を認めると、Ｂが建築工事をするとき空地を確保しなければならなくなり、早く接境建築したほうが有利になると考えられたためである。また、日照・採光・通風・通行・外壁の修繕の便宜・延焼防止など、距離をとったほうが、ＡＢ相互の生活環境利益を図ることができる。

234条１項に違反してＡが建築をしようとするとき、Ｂは、その建築を中止させ、または変更させることができる。ただし、Ａの建築着手時から１年が経過し、または、建物が完成した後は、Ｂは損害賠償の請求しかできない（234条２項）。なお、以上と異なる慣習があるときには、その慣習に従う（236条）。繁華街では50cm の距離を保つ必要がないという慣習があるといわれている。

(b)　建築基準法の規定

ところが、建築基準法は、建物の外壁から敷地境界線までの距離（後退距離）を、民法の規定以上に要求している場合もあれば、それに満たなくてよいとする場合もある。

たとえば、建築基準法63条（平成30年改正前65条）は、防火地域・準防火地域内にある耐火構造の建物について、接境建築を認めている。この建築基準法63条と民法234条１項との関係をどのように考えるべきか。

(c)　両規定の関係

判例は、建築基準法63条を、民法234条１項の特則であると捉え（特則説）、民法234条１項は適用されないとする（最判平成元・９・19民集43巻８号955頁）。建築基準法63条は、耐火構造の外壁を設けることが防火上望ましいという見地、防火地域・準防火地域における土地の合理的ないし効率的な利用を図るという見地に基づき定められているからである。

これに対して、建築基準法63条は、民法234条１項の特則ではないと捉え（非特則説）、民法234条１項が適用されるとする見解もある。民法234条１項は、生活環境利益を確保するものであるから、防火上の見地や土地の合理的・効率的利用のみを優先させるべきではないとされる。ただ、この見解によると、建築基準法63条の存在意義がなくなってしまう。

(5) 越境した竹木の枝・根の切取り

Ａ所有の甲土地に、Ｂ所有の隣地乙に生える木の枝・根が越境してきた。このとき、枝について、ＡはＢに切り取らせることができるものの、原則として、自分では切り取れない（233条１項）。自力救済は禁止されているからである。ただ、これだと、Ｂが枝の切取りに応じない場合、Ａは枝の切除のために訴訟等をしなければならなくなり、負担が重い。そこで、例外的に、①竹木所有者に枝の切除を催告したにもかかわらず、相当期間内に切除されないとき、②竹木所有者を知ることができない、または、その所在を知ることができないとき、③急迫の事情があるときには、Ａ自身が枝を切除できる（同３項）。他方、根についてはＡが自分で切り取れる（同条４項）。自力救済禁止の例外である。Ｂは甲に立ち入らないと根を切り取れず、また、根は枝と比較すると安価な場合が多いからである。

乙が竹林で、甲にタケノコ（竹の根）が生えてきたら、Ａはタケノコを採って構わない。他方、乙からリンゴの果実付きの枝が越境してきた場合、Ａはただちに枝を切ってリンゴを採ることはできない。リンゴが枝から落下し、Ａの土地に落ちた場合、争いがある。これを無主物と見ればＡは採ることができる。しかし、リンゴはＢの物であり、Ａが採ることはできないとするのが通説である。

Ⅲ 所有権の取得

1 所有権の取得原因

所有権は、どのような場合に取得できるのか。所有権の取得原因は、承継取得と原始取得に分けられる（→26-27頁）。現実の社会において、所有権の取得原因として重要なのは、承継取得（売買・相続など）であり、さらに、原始取得のうちの時効取得と即時取得である。また、239条以下に規定されている、6つの所有権の取得原因である、①無主物の帰属、②遺失物の拾得、③埋蔵物の発見、④付合、⑤混和、⑥加工のうち、④⑥は、重要な意味を持っている。

以下では、これらのルールを確認する。家畜外動物の取得に関する195条は、無主物先占と遺失物拾得の中間的ルールであるため、ここで取り扱う。

2　無主物の帰属・家畜外動物の取得・遺失物の拾得・埋蔵物の発見

(1)　無主物の帰属（無主物先占）

所有者がいない物（無主物）について、所有権の発生ルールを明確にしておく必要がある。民法は動産と不動産とで異なった取扱いをする。

まず、無主の動産については、所有の意思をもって占有した者が、その所有権を取得できる（239条１項）。漁師が海で魚を捕まえる場合、ゴルフ場経営者がゴルファーの放置したロストボールを回収する場合などが挙げられる。

これに対して、無主の不動産は、国庫に帰属する（同２項）。火山活動により新たに島が出現した場合、土地の所有権は国に帰属する。国以外は無主の不動産の所有権を取得しない。他方、不動産所有権を放棄して無主物にできるかは争いがある。相続等により土地を取得した相続人が一定の要件を満たして申請をした場合、法務大臣の行政処分によりその土地を国庫に帰属させることができるが（相続土地国庫帰属法２条。→143頁「所有者不明土地問題と令和３年の立法」）、これは所有者から国への所有権の承継取得であり、放棄を認める制度ではない。

(2)　遺失物の拾得

Aが時計を拾い警察に届け出たが、所有者が現れなかったとき、Aは時計を取得できる可能性がある。遺失物は、遺失物法の定めに従い公告をした後３か月以内にその所有者が判明しないときは、これを拾得した者がその所有権を取得するからである（240条）。遺失物とは、占有者の意思によらず、その所持を離れた物で、盗品ではない物、つまり落とし物である。

なぜAは所有権を取得できるのか。これは、所有権取得への期待を持たせることによって、他人の財産保護（事務管理：697条）を奨励するためといわれる。なお、３か月以内に所有者が現れたとき、Ａは所有権を取得できないが、物件の価格の５％以上20％以下の報労金を受け取ることができる（遺失28条）。

(3) 家畜外動物の取得

捨て犬や野良猫のように、誰も飼育していない動物は、無主の動産であるため、所有の意思をもって占有したＡが、その所有権を取得できる。これに対して、Ｂの飼育する動物が逃げ出し、Ａがこれを捕まえて飼育している場合、Ａは動物の所有権を取得できるのか。動物が、その地方で飼育されて生活するのが普通である動物（家畜）か、家畜以外の動物かによって取扱いが異なる。

(a) 家畜の場合

Ａが首輪の付いた猫（Ｂの飼い猫）を拾った。Ａが遺失物法の要件を満たした場合、猫の所有権を取得できる。首輪のついた犬・猫などのほか、野生で日本に生息していない九官鳥などは家畜であり、遺失物に準じて取り扱われる（遺失２条１項）。

(b) 家畜外動物の場合

これに対して、山間部に住むＡが、飼育者Ｂのところから逃げ出したイノシシを野生動物だと考え捕獲し、１か月以上飼育した場合、Ａはその所有権を取得できる。家畜以外の動物については、その動物を占有するＡが占有の開始の時に善意であり、かつ、動物がＢの占有を離れた時から１か月以内に回復の請求を受けなかったとき、Ａは動物の所有権を取得する（195条）。

この規定は、無主物の帰属と遺失物の拾得の中間的な扱いを定めている。所有者Ｂの利益に配慮しつつ、家畜以外の動物であることから無主物であると考えた占有者Ａの保護を目的としている。

(4) 埋蔵物の発見

Ａが自分の土地で金の延べ棒を発掘したとき、遺失物法の要件を満たせば、その所有権を取得できる。埋蔵物は、遺失物法の定めに従い、公告をした後６か月以内に所有者が判明しないときは、これを発見したＡがその所有権を取得する（241条本文）。埋蔵物とは、土地その他の物（包蔵物）の中に埋蔵されていて、外部からは容易に目撃できず、かつ、現在誰が所有者であるのか判別しにくい物をいう。

土地所有者Ａが建設会社Ｂに建物の建築工事を依頼し、Ｂが土地から小判を発見したときはどうか。この場合、遺失物法の要件を満たせば、ＡとＢが１：１の割合で小判の所有権を取得する（同ただし書）。

なお、文化財保護法は、埋蔵物が文化財であり、かつ、所有者がわからないときは、国庫ないしその土地を管轄する都道府県に所有権が帰属するとし、発見者・包蔵者（通常は土地所有者）に価格相当の報償金を支給するとしている（文化財104条・105条）。

3　添付（付合・混和・加工）

添付（てんぷ）には、物同士が結合する「付合」、物が混ざり合って識別できなくなる「混和」、物に工作を加えて新たな物を作り出す「加工」の３つがある。

添付については、どのような場合に、新しい１つの物となるのかが問題となる。Ａの建物にＢの大理石が用いられた場合、どのような状態であれば、建物と大理石とが１つの物になるのであろうか。また、添付により新しい１つの物が生まれたとき、誰が所有者となるのか、所有権を失った者は、新しい物の所有者に対して何を請求ができるのか、ということも問題となる。

(1)　付合

建物は土地に付合しない（370条参照）。日本では土地と建物は別個の不動産とされている。欧米では、「地上物は土地に属する」というローマ法以来の考え方から、建物は土地に付合し、土地の一部となる。欧米では、建物が石造りで、まさに土地に付合するのに対し、日本では建物が木造であることが多く、解体して移築することもあったため、付合が弱いといえるであろう。日本では慣習上、土地と建物が別個に扱われてきたともいわれる。

付合とよく似た問題を扱うものとして、従物という概念がある。従物は主物の処分に従う（87条２項）。従物は、主物と経済的に一体であるからである。しかし、従物は、主物から独立した物である。従物に対する所有権が存在する。他方、物が付合した場合、その付合物は独立した物とは扱われない。たとえば、Ａの動産甲が、Ｂの乙不動産に付合すれば、ＡはＢに甲の返還を請求できないが、甲が乙の従物であれば、ＡはＢに甲の返還を請求できる。

(a)　不動産の付合

ある物が不動産に従として付合した場合、不動産の所有者がその付合物の所有権を取得する（242条本文）。Ａの建物の建築に際し、Ｂ所有の大理石が用いられたとする。建物に付合した大理石は独立した物ではなくなり、建物の一部となる。そのため、建物所有者Ａが大理石の所有権を取得する。大理石の所有権を失ったＢは、Ａに対して償金を請求できる（248条）。

以上のように、付合は、所有権を奪うことにつながりうる。そこで、なぜ付合が認められるのかが問題となる。①分離により物の社会経済的価値が損なわれるのを防止するためという考え方（社会経済説）、②一物一権主義に従った簡明な権利関係を実現し取引の安全を図るためという考え方（取引安全説）などがある。①②の両者を掲げる見解もある。いずれにせよ、付合の成否を定めた規定は強行規定と理解されている。

不動産の付合は、従として付合することが必要とされる。「従として」とは、どのように判断されるのか。この問題は、付合の趣旨をどのように考えるかによって異なる。付合は社会経済的損失を回避するためのものと考えると、分離によって損失が発生するかどうかがポイントとなる。他方、付合は取引の安全のためのものと考えると、取引通念からみて独立性を失っているかどうかがポイントとなる。

ところで不動産の付合といっても、土地に対する付合と、建物に対する付合とでは、問題状況が異なる。そこで以下では両者を区別して検討する。

付合規定の趣旨

付合規定の趣旨について、所有権を失った者が自己の利益のみに基づいて所有権を主張することは、権利の濫用に当たることから、規定が置かれているとする有力な見解もある。この見解によれば、付合により生じた新しい物の帰属だけでなく、付合の成否も当事者が合意できる任意規定となる。

そもそも、付合により、所有者を１人にすることの必要性・適切性は乏しいようにも思える。付合により、所有権を剥奪されることも、所有権を押しつけられた者が利得の返還を強制されることも正当化しがたい。可能であれば分離等をし、不可能な場合には、共有を原則とすべきではないだろうか。共有とすれば、共有物分割手続（→172-174頁）を通じて柔軟に解決できるからである。

(b) 土地の付合

Ａの土地にＢが無断（無権原）でカボチャの種をまいたり、稲を植えたりしたとしよう。これらは土地に付合し、土地の構成部分となる。すなわち、Ａがこれらの所有権を取得する。

それでは、Ａの土地に賃借人Ｂが同様のことを行った場合はどうか。カボチャの種のように、付合して完全に独立性を失う場合（強い付合）、不動産の構成部分になる。Ｂはカボチャの種の所有権を失い、Ａがこれを所有する。他方、稲のように、付合しても独立性を失わない場合（弱い付合）、不動産の構成部分にならない。Ｂは稲を所有できる（242条ただし書）。Ｂのまいたカボチャの種が生育し、強い付合から弱い付合へと変化した場合、Ｂの所有となるとする見解もあるが、正当化は難しい。

なお、Ｂが無権原で稲を植えたときについては争いがあった。かつて、小作人を保護するため、弱い付合の場合には、Ｂが無権原でも農作物を所有できるとする見解もあった。しかし、現在、このように考える必要性は乏しいとの批判がなされ、支持されていない。

(c) 建物の付合

建物の付合で、判例によくあらわれる事例は、賃借人による建物の増改築である。Ａの建物を賃借したＢが、建物を増改築し、建物に動産を付合させた場合、増改築部分の所有者はＡかＢか。

ＢがＡに無許可で増改築をしたとする。賃借権は建物を利用する権利を内容とし、増改築する権利を含まない。Ｂは242条ただし書の権原を有しておらず、増改築部分の所有権を取得できない。

ＢがＡの許可を得て建物を増改築した場合はどうか。権原によって物を付属させたとして、増改築部分の所有権を取得できるようにみえる。しかし、増改築部分は分離できず独立性を有していない以上、原則として、所有権を認めることはできない。

いずれの場合も、増改築部分はAの所有となり、BはAに対して償金を請求できる（248条）。なお、AはBに対して、増改築部分の撤去を請求できない。増改築部分は、A自身の所有物となっているからである。

増改築部分に対する区分所有権の成否

建物賃借人Bが賃貸人Aの許可を得て、増改築を行った場合、その部分に構造上・利用上の独立性が存在すれば、Bの区分所有権が認められる余地がある（最判昭和38・10・29民集17巻9号1236頁）。基本的には、AとBの間での増改築部分の区分所有権についてどのように考えられていたか、すなわち、AB間の建物賃貸借契約の問題として処理される。しかし、区分所有関係を認めると、共用部分・敷地に対する持分権などの権利関係をどうするのかという問題が発生し、混乱が生じる。多くの場合、AがBの区分所有権を認める意思を有しているとは考えられない。したがって、Bの区分所有権が認められるのは、例外的な場合に限られる。

かりに増改築部分の区分所有権がBに認められるとどうなるのか。AB間の建物賃貸借契約が終了したとき、AはBに増改築部分の除去を請求できると考えられる。なぜなら、Bには敷地利用権がないため、増改築部分を敷地上に保持できないからである。

逆に、Bに区分所有権が認められない場合、AはBに増改築部分の除去を求めることはできない。増改築部分が建物に付合していれば、Aの所有物となっているからである。このとき、BはAに対して、特約がない限り、608条2項に基づき、費用の償還を請求できると考えられる。これに対して、利得の押しつけであるとして、BのAに対する費用償還請求は認められないとする見解もある。なお、費用償還については、賃貸借に関する規定が優先するので、248条は適用されない。

(d) 動産の付合

Aの船舶にBの船舶用エンジンが溶接された場合、基本的にAがエンジン付船舶の所有権を取得する。複数の動産が付合することにより、損傷しなければ分離できなくなったとき、また、分離に過分の費用がかかるとき、主たる動産の所有者が合成物の所有権を取得するからである（243条）。所有権を失ったB

は、Ａに対し、償金を請求できる（248条）。

動産の主従はどのように判断すべきか。付合の趣旨を社会経済的価値の損失防止に求めるのであれば、社会経済上の主従で判断することになる。他方、付合の趣旨を取引の安全に求めるのであれば、取引通念に従って判断され、価格が大きな考慮要素となる。船舶と船舶用エンジンの場合であれば、通例、船舶のほうが主たる動産である。しかし、Ａの船舶よりもＢの船舶用エンジンのほうが著しく高価である場合、取引の安全を重視する見解によれば、Ｂが所有権を取得することになろう。

主従の区別ができないとき、各動産の所有者は、付合した時の価格割合に応じてその合成物を共有する（244条）。

建物の合体

建物が合体することがある。増改築工事により、２つの建物の壁を除去し結合する場合や、２つの建物が空中の渡り廊下で結合される場合などである。このとき、建物の所有権はどうなるのか。

建物の合体について規定は存在しない。区分所有権が認められれば、所有関係は明確である。どちらかの建物が従として合体したのであれば、主たる建物の所有者に所有権が帰属すると解される。主従関係が明確でない場合には、244条を類推し、共有とすることが考えられる。多くの場合、建物所有者間に合意があるか、両建物の所有者が同一であるため、所有権についての争いが生じることは少ない。実際に問題となったのは、建物に抵当権が設定されていたところ、建物同士が合体した場合である。判例は、旧建物の価値に相当する持分上に抵当権が存続するとした（最判平成６・１・25民集48巻１号18頁）。

(2) 混和

固体同士が混ざることを混合、液体同士が混ざることを融和といい、両者を合わせて混和という。混和については、動産の付合に関する規定（243条・244条）が準用される（245条）。

⑶　加工

(a)　加工物の帰属

Ａの木材からＢが家具を作り上げた場合、家具の所有権はＡとＢのどちらが取得するのか。原則として、材料の所有者Ａが取得する（246条１項）。加工者Ｂは、Ａに対し、償金を請求できる（248条）。

他方、Ａの木材価格が３万円、Ｂが仕立て上げた家具の価格が10万円であるとしよう。このように、工作によって生じた価格が材料の価格を著しく超えるとき、Ｂが所有権を取得する（246条１項ただし書）。同様に、Ｂの提供した材料の価格と工作によって生じた価格の合計価格が、Ａの材料の価格を超えるときも、Ｂが所有権を取得する（同条２項）。これらの場合、ＡはＢに対し、償金を請求できる（248条）。

(b)　新たな物

加工となるためには、新たな物が生じたことが必要であると考えられている。Ａの生地をＢが洋服に仕上げた場合、新たな物が生じているため加工となる。Ａの生地をＢが切り取っただけでは、新たな物は生じておらず加工とはならない。

これに対して、新たな物が生じたことは不要であり、新たな価値が生み出されていればよいとする見解もある。この見解によれば、Ａの生地をＢが独創的に切り取り、新たな価値が生じていれば、加工となる。しかし、いずれにせよ、判断は容易ではない。

(c)　任意規定

加工が行われる場合には、請負契約などが存在し、物の所有権の帰属が定められていることが多い。加工物の帰属に関するルールは任意規定であり、合意があれば、それが優先する。たとえば、Ａが材料の全部を提供し、Ｂが物置を作り、物置の価格が材料の価格を著しく超えたとする。このとき、加工の規定によれば、Ｂが所有権を取得する。しかし、通常、ＡＢ間に加工規定を用いる意思はない。

請負の場合、所有権帰属の合意がなければ、材料供給者に所有権が帰属すると考えられているから、Ａが所有権を取得すると解される。加工の規定が適用される事例は、材料が誤って用いられた場合、第三者間での帰属が争われる場合（→下記コラム「建物の建築」）などである。

建物の建築

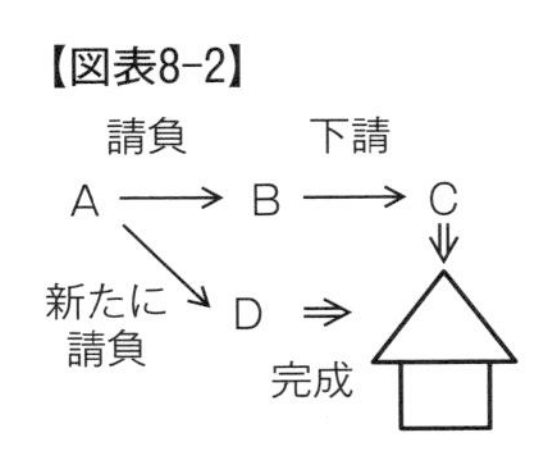

建物の建築に関し、付合・加工のいずれの規定が適用されるかが争われた判例の事案を検討しておこう。AがBに建物の建築を依頼し、Bの下請業者Cが工事を行った。Cは自ら材料を提供して工事をしていたが、Bが代金を支払わないので、建物（不動産）となる前に工事を中断した。その後、Aの依頼を受けたDが建築工事の続きを行い、建物を完成させた。Cは次のように主張した。Cの提供した材料とDの提供した材料が付合しているところ、Cの材料が主たる動産であるから、この建物はCの所有物である。しかし、判例は、加工の規定が適用されるとし、Cの材料・工事の価格と、Dの材料・工事の価格とを比較すべきとした（最判昭和54・1・25民集33巻1号26頁）。実際の事案では、後者が前者を大きく超えていたので、建物の所有権はCではなくDに帰属すべきとされ、最終的にAD間の契約によりAに帰属するとされた。

なお、加工は、動産についてのみ規定されており、不動産について直接適用されることはない。不動産に加工が行われても、新たな物が生じることがないからである。これに対して、新たな価値が生み出されていれば加工の規定が類推適用されるとする見解もある。

(4) 添付の効果

添付により生じた新たな物の所有者は、当事者間に合意があればそれに従い、合意がなければ、上述の民法のルールに従って定まる。添付の規定によって、物の所有権が消滅したときは、物の上に存在した他の権利も消滅する（247条1項）。権利の客体がなくなるからである。

AがBに布地を売却し引渡しをしたが、Bからの代金支払がなされておらず、Aが動産売買先取特権（321条）を有しているとしよう。この布地をCが加工して洋服を作り上げ、Bの布地に対する所有権が消滅してしまった。このとき、ＢはＣに対して、償金請求権を有する。Ａは動産売買先取特権に基づき、Ｂの償金請求権に対して、物上代位することができる（304条）。

逆に、添付の規定によって、合成物・混和物・加工物に対して所有権が認められたときは、元の物の上に存在した権利は、合成物等の上に存続する（247条１項）。添付によって、合成物等の共有者となったときは、元の物の上に存在する権利は、合成物等に対する共有持分権の上に存続する（247条２項）。

Ⅳ　共有

1　意義

(1)　意義

夫婦が共同で土地を所有している場合のように、複数の者が１つの物を共同で所有することを、共有という（249条以下）。これに対して、１人が１つの物を所有していることを、単独所有という。

共有といっても、さまざまな場合がある。兄弟が２人で車を購入し、共有しているというシンプルなケースもある。Ａが亡くなり、Ａの財産（遺産）をＢとＣが共同で相続し、遺産を構成する個々の財産が共有となる場合は多い（898条１項）。ＤＥＦが組合を作り、組合のための財産を共有する場合もある（668条）。一定の地域に住む多数の者が、共同で山林に生育する山菜を採る権利を有しているというように、入会財産の共有もある（263条）（→194-196頁）。主従が区別できない動産の付合・混和（244条・245条）も共有となる。

249条以下は、単純な共有への適用が念頭に置かれている。たとえば、添付の規定により共有となった場合である。ここで検討すべき課題は、第１に、共有者はいかなる権利を有しているかである。第２に、共有者間に紛争が生じたときにどのように問題を解決するか、すなわち、共有者の内部関係の規律である。第３に、たとえば、ＡＢの共有する土地を、第三者Ｃが不法占有した場合、Ａが単独でＣを追い出せるのか、それともＡＢ２人の共同でないとＣを追い出せないのか、すなわち、第三者との関係（対外関係）をどのように考えるかである。第４に、共有関係がどのように解消されるかということである。

共有の3類型

本文で述べたように、共有は多様である。そこで、伝統的な見解は、共有者間にどれほど強い結びつきがあるかという観点から共有を分類してきた。添付により生じた共有のように、共有者間の結びつきがもっとも弱い共有は「狭義の共有」とよばれる。組合のように、共有者間に一定の結びつきがある場合の共有は「合有」とよばれる。入会のように、共有者内部に団体的な強い結びつきがある共有は「総有」とよばれる。すなわち、共有には、狭義の共有、合有、総有という3つの理念型があるとされてきた。そして、狭義の共有では持分権の処分、共有物分割請求権が認められるのに対し、合有では持分権は存在するものの処分が制限され、分割請求権の行使も制限され、さらに、総有では持分権が存在せず、分割請求権も存在しないとされる。

しかし、共有の多くが、合意や相続に基づいて生じる。3類型はあくまで理念型であり、すべての共有がいずれかに当てはまるわけではない。そのため、3類型は、講学上は有用であるが、現実の問題を解決するにあたってはほとんど意味を持たないとする見解が有力である。民法は、3類型のすべてについて「共有」という用語を当てている。

(2) 持分権

(a) 性質

Ａが車を単独所有している場合と、ＢＣが車を共有している場合を比較しておく。Ａは車に対して所有権を有する。これに対して、ＢＣはそれぞれ車に対して持分権を有する。この持分権は、所有権の一種とされる。

持分権は所有権と何が異なるのか。すなわち、持分権はどのような性質を有しているのか。見解は分かれている。①持分権は単独所有権と同様、1つの所有権であると考える見解がある（複数説・独立所有権説）。共有の場合に、複数の所有権が成立することになる。これに対し、②持分権（持分）は所有権の割合的一部であるとする見解がある（単一説・分量説）。共有の場合にも、所有権は1つしか成立しないことになる。しかし、判例はいずれかの考えによって、一貫した説明をしているわけではない。

複数説（独立所有権説）と単一説（分量説）

共有の法的性質に関する議論は、結論に大きく影響するという見方もある。複数説は、各共有者が単独の所有権（＝持分権）を有するのと同様とみるため、単独での権利行使が原則となる。単一説は、各共有者が所有権の一部（＝持分）を有するため、共同での権利行使が原則となる。民法の立法者は後者の立場に立っていた。

複数説によれば、後述する保存行為（252条５項）を単独でできるのは当然であるのに対し、単一説によれば、保存行為を単独でできるのは例外であることになる。逆に、変更に全員の同意が必要であることは、複数説によれば例外、単一説によれば当然となる。これは、とくに訴訟の場面で違いが生じうる。複数説によれば、共有者１人による請求が広く認められるのが原則となる。

従来、判例は単一説を採っていると考えられていた。たとえば、無権利の第三者に対する登記抹消請求について、共有者の１人による請求の根拠は保存行為に求められていた。しかし、近時の判例は、共有者の１人による請求の根拠を持分権のみに求めており（後述する最判平成15・７・11→169頁）、複数説のような説明を行っている。

(b)　内容

共有者が有する持分権は、基本的に所有権と異なるところはない。そのため、共有者は、共有物について、自由に使用・収益・処分をすることができる(206条参照)。しかし、他の共有者の権利による制約を受ける。

持分権の効力は「共有物の全部」に及ぶ。ＡＢが土地を共有する場合、ＡもＢも土地全体に対して持分権を有している。Ａが土地の北側、Ｂが土地の南側を所有している、ということではない。したがって、ＡＢが土地を共有している場合、ＡＢは土地全体を使用できる。とはいえ、常にＡが土地全体を使用するとしたならば、Ｂの持分権が害されることになる。各共有者は、共有物の全部について、持分割合に応じて使用できる(249条１項)。たとえば、ＡとＢの持分割合が平等であれば、Ａは時間・回数を平等に分けて使用できる。もちろん、ＡとＢの間に合意があれば、それに従う。

ＡＢは共有する土地を使用するだけでなく、賃貸をしてもよい。すなわち、共有者は共有物から収益を得ることもできる。

Ａは土地に対する持分権をＣに売却処分することができる（持分権処分の自由）。また、不動産共有者は持分権に対して抵当権などを設定できる。持分権は所有権の一種であるため、処分が可能である。もちろん、Ａは、土地に対する所有権（ＡとＢの持分権を合わせたもの）をＣに売却できない。ＡはＢの持分権をも処分することはできない。

(c) 持分割合

各共有者は、共有物に対して一定の割合（持分割合）で、持分権を有する。持分割合は、共有者間に合意があれば、これにより定まる。ＡＢが共同で車を購入し、持分割合を１：３と合意をしていれば、これによる。これに対して、法律の規定により割合が定まる場合もある。Ａの材木（20万円）とＢの材木（10万円）が混合した場合、価格の割合に応じて共有するので（245条・244条）、ＡとＢの持分割合は２：１となる。共同相続により個々の財産が共有となる場合、法定相続分または指定相続分を基準として持分割合が定まる（898条２項）。合意も法律の規定もない場合、持分割合は均等であると推定される（250条）。

2 共有の内部関係

共有者間では共有物に関するさまざまな合意が可能である。ＡＢが車を共有している場合、Ａが車を使用し、Ｂに利用料を支払う、車検代はＡが支払う、タイヤ交換費用はＢが支払うなど、使用・管理方法について合意できる。

しかし、共有者間に合意がないことも少なくない。Ｃの山林をＤＥが共同相続し、共有することとなった場合、ＤＥ間に対立が生じ、合意できないことは珍しくない。合意できない場合に備えて、民法は管理・費用負担などについて規定を置いている。

(1) 広義の管理

(a) 保存

ＡＢが同じ持分割合で別荘を共有している。台風によって、別荘の窓ガラスが割れてしまった。この場合のガラス交換のように、共有物の現状を維持するための行為を保存行為という。保存行為は、持分割合にかかわらず、各共有者が単独ですることができる（252条５項）。したがって、ＡはＢの同意を得ず、単独で窓ガラスを交換できる。

(b) 管理

(i) 決定方法　ＡＢＣＤの４人が同じ持分割合で、築30年以上の別荘を共有している。この別荘のトイレを和式から洋式にリフォームするというように、共有物の性質を変えることなく、利用・改良する行為を管理行為という。共有物の管理行為は、持分の価格に従い、その過半数で決する（同１項前段）。したがって、ＡＢＣＤの４人のうち３人の賛成があれば、過半数となるので、リフォームできる。

ＡＢはリフォームに賛成し、Ｃは反対し、Ｄが所在不明である場合、過半数を得られないためリフォームはできない。所在等不明共有者（必要な調査を尽くしても特定できない共有者、所在不明の共有者）がいると、管理が滞ることになる。そこで、民法は、Ｄ以外の共有者（ＡＢＣ）の持分価格の過半数で管理事項を決定することを裁判所に請求できるとする（同２項）。裁判所の決定が得られれば、所在等不明者の持分を分母から除いて過半数決定を行える。

管理を決定するための「過半数」の基準は、頭数（人数）ではなく、持分割合である。ＡＢＣが３：１：１の割合で車を共有している場合、Ａが単独で過半数を満たし、ＢＣを無視して車を賃貸できるようにもみえる。しかし、これではＢＣの意見が完全に無視される。そこで、ＢＣに意見を表明する機会を保障する必要がある。すなわち、多数決での決定を行う場を用意すること、つまり、全員で協議をして決定することが必要であると解すべきである。

なお、過半数とは、半数以上ではなく、半数を超えることを意味する。ＡＢの２人が同じ持分割合でパソコンを共有する場合、一方だけでは持分の半数を超えないので管理を決定できない。この場合、２人の合意がない限り管理行為はできない。

(ii) 共有物を使用する共有者がいる場合　ＡＢＣが同じ持分割合で共有している土地を、Ａが単独で使用している。このとき、ＢＣは２人合わせて持分価格の過半数を超えるからとして、Ａに対して土地の明渡しを請求することはできない（最判昭和41・５・19民集20巻５号947頁）。それでは、ＢＣはＡに対して明渡しを求めることはまったくできないのだろうか。

まず、ＡＢＣ間でＡを使用者として定めること（管理の定め）なく、Ａが土地を使用している場合、ＢＣは、持分価格の過半数により、管理として、Ｂを使用者と決定することができる（252条１項後段）。これにより、Ｂは、Ａに対して土地の明渡しを求めることができる。

他方、ＡＢＣ間でＡが使用者と定められている場合に、改めてＢを使用者として決定すると、Ａは大きな不利益を受ける可能性がある。そこで、民法は、共有者間の決定に基づき共有物を使用する共有者に特別の影響を及ぼすべきときは、その共有者の承諾を得なければならないとする（同３項）。したがって、Ａの同意なく、新たにＢを使用者と決定することはできない。

共有者間の合意により使用者とされた者であっても、（無償使用の合意がない限り）無償で共有物を使用できるわけではない。自己の持分を超える使用をした共有者は、他の共有者に使用の対価を償還する義務を負う（249条２項）。また、共有者は、善良な管理者の注意をもって、共有物の使用をしなければならない（同３項）。

なお、使用対価の償還義務が発生しないことがある。典型例は、共同相続の場合である。Ａの子Ｂは、Ａ所有の建物に同居し、Ａの家業を手伝ってきたとする。Ａ死亡により、Ａの子ＢＣが建物を共同相続し、共有した。この場合、ＡとＢの間で、相続開始後も遺産分割が終了するまで、Ｂに無償で建物を使用させる旨の合意（使用貸借契約：593条）があったと推認される可能性がある。使用貸借契約が存在すれば、ＣのＢに対する請求は認められない（最判平成10・２・26民集52巻１号255頁）。また、配偶者短期居住権（1037条以下）が成立する場合も、配偶者に対する使用対価の償還請求は認められない。

(iii) **短期賃借権等の設定**　共有者は、管理として、共有物に賃借権その他の使用・収益を目的とする権利の設定をすることができるのが原則である。ただ、賃借権等の存続期間が長期になると、共有者が負う負担が大きくなる。そこで、樹木の植栽・伐採を目的とする山林は10年、その他の土地は５年、建物は３年、動産は６か月の範囲で、賃借権等の設定が管理として認められる（252条４項）。この期間を超える賃貸借、借地借家法の適用がある建物賃貸借は、共有物の変更に当たるため、持分価格の過半数による決定により契約をしても、その効果は基本的には認められず、無効であると解される。

(iv)　管理者　　管理者の選任・解任は、共有物の利用・改良行為そのものではないが、管理に関する事項として持分価格の過半数により決定できる。共有物の管理者は、共有物の管理行為をすることができ（252条の2第1項）、共有者が管理事項を決定した場合、それに従って職務を行わなければならない（同3項）。管理者が共有者を知ることができず、またはその所在を知ることができないとき、裁判所は、管理者の請求により、当該共有者以外の共有者の同意を得ることにより、共有物に変更を加えることができる旨の裁判をすることができる（同2項）。

(c)　変更

ＡＢＣが共有する農地を宅地に変えるというように、共有物の形状または効用の著しい変更は、他の共有者全員の同意を得なければすることができない（251条1項）。このような変更は事実上の処分であり、他の共有者の権利侵害となるからである。したがって、ＡはＢＣの同意を得ない限り、宅地への変更を行うことはできない。その他、建物の全面リフォーム、長期の不動産賃貸借契約の締結なども変更に当たる。他方、形状または効用の著しい変更を伴わない変更は、管理となる。他の共有者に与える影響が小さいためである。たとえば、建物の定期的な大規模修繕工事がこれにあたる。

所在等不明共有者がいる場合、その他の共有者は全員の同意により共有物に変更を加えることを裁判所に請求することができる（251条2項）。

なお、共有物そのものを売却するなど処分をする場合にも、全員の同意が必要である。これを事実上の処分に準ずるとして変更とみる見解と、他人の権利の処分であるため、その他人の同意が当然に必要であるとして変更ではないとみる見解があるが、結論に差異はない。

(2)　費用負担

ＡＢＣが別荘を共有している。別荘の電気・ガス・水道代、建物維持のための修繕費用、税金などは、持分割合に応じて負担する（253条1項）。共有者は、持分割合に従って共有物を使用・収益する権利を有するので、同様に費用を負担する義務を負う。

上記の事例で、ＡがＢの費用を立て替え、Ｂに費用負担を求めたが、Ｂが1

年を超えてこれに応じないとする。このとき、Ａは、Ｂに相当の償金を支払って、Ｂの持分を取得し、Ｂを共有関係から排除できる（同２項）。

(a) 特定承継

それでは、ＡがＢに費用負担を求めたが、Ｂが費用を支払う前に、その持分権をＤに譲渡してしまった場合はどうなるのか。Ａは、Ｂの特定承継人であるＤにも、その債権を行使できる（254条）。つまり、ＡはＢにもＤにも、費用の支払を求めることができる。共有物を維持管理し、共有関係を存続させるためには、共有者Ａを保護する必要性がある。なお、ここでいう債権は、共有物分割や共有物管理のように、共有と分離できない債権をいう。特定承継人に不測の損害を与えないようにするためである。

この規定は、Ａにとっては望ましい。債権回収の可能性が高まるからである。しかし、Ｄからすると、何も知らずに費用負担を負わされてしまう可能性がある。なぜなら、ＤはＢから情報提供されない限り、この債権の存在を知る手段がないからである。そこで、立法論として、不動産については登記を必要とすべきであるとする見解もある。

(b) 転々譲渡

さらに、同様の事例で、持分権がＢからＤ、ＤからＥへと譲渡され、ＢＤＥのいずれもＡに費用を支払わなかった場合はどうなるか。この点、区分所有（→177頁以下）の管理費用の場合によく問題とされる。Ｄは責任を免れるとする見解もある。しかし、共有関係を存続させるため、ＡはＢＤＥのいずれに対しても費用を請求できるとするのが一般的である。

(c) 共有物分割

ＡＢが別荘を共有していて、Ａが管理費用を立て替えている。Ｂが支払をしないので、Ａが共有物の分割を請求し、共有関係が解消されることになった。このとき、ＡはＢの共有物の部分によって、債権の弁済を受けることができる（259条１項）。Ａは弁済を受けるために必要であれば、Ｂに帰属すべき共有物の部分の売却を請求することもできる（同２項）。ここでいう債権は、共有物分割や共有物管理についてのものに限られない。特定承継人が害されることはないため、債権を限定的に解する必要はない。

⑶　持分権の主張

共有者は共有物に対して、所有権の一種である持分権を有している。それでは、共有者の１人は、他の共有者に対して持分権に基づく物権的請求権を行使できるか。

(a)　妨害排除・予防・返還請求

ＡＢＣの共有する土地を、ＢがＡＣに無断で田畑から宅地に変えた。この場合、Ａは単独でＢに対して、土地を田畑に戻すことを請求できる。共有者は、共有物全体について持分権を有しているから、Ａは土地全体に対する持分権を有している。Ｂの変更行為により、Ａの土地全体に対する持分権が侵害されているので、Ａは単独でＢに対して妨害排除を請求できる。Ｂが勝手に宅地変更工事をしようとしている場合も同様に、Ａは単独で妨害予防を請求できる。返還請求については、⑴(b)(ii)（→164-165頁）参照。

(b)　登記請求

ＡＢＣがＤの土地を共同相続し、共有しているとしよう。ＢがＡＣに無断で、ＤからＢ名義への所有権移転登記手続をした場合、Ａは単独でＢに対して、持分権に基づきＡＢＣの共有名義にすることを請求できるか。この問題のポイントは、ＡがＣの持分権に関する部分について権利行使できるかである（登記請求権について→84-88頁）。

判例は、Ａは自己の持分権についてのみ、Ｂに対して一部抹消（更正）登記手続を求めることができるとする。ＡはＣの持分権に関する部分について登記手続を求めることはできない（最判昭和59・４・24判時1120号38頁）。

3　対外関係（第三者との関係）

⑴　持分権の対外的主張

(a)　妨害排除・返還請求

ＡＢが共有する別荘に、Ｃが無断で住み着いている。ＡＢはいずれも単独で持分権に基づいて、Ｃに対して物権的妨害排除請求権を行使することができる。妨害予防請求権も同様である。

ＡＢが単独で物権的請求権を行使できる根拠は、共有者が、共有物に対して、所有権の一種である持分権を有していることにある。基本的に、共有者は単独で第三者に対して物権的請求権を行使できる。しかし、例外がある。ＡＢが共有している土地を、Ｂから賃借したというＣが資材置き場として利用している場合、Ａは単独でＣに対して土地の返還を請求できない。この場合は、共有者の１人が占有している場合と同様に扱われる（最判昭和63・５・20家月40巻９号57頁）。この点は、(1)(b)(ii)（→164-165頁）参照。

(b) 登記請求

ＡＢは共同してＣから土地を買い受け、共有することとなった。ところが、無権利者ＤがＣから虚偽の所有権移転登記を受けた。このとき、Ａは単独で、ＣからＤへの移転登記の全部抹消を求めることができるか。ＡＢ名義にする前提として、Ｃ名義に戻す必要があるため、このような請求が行われることがある。判例は、物権的妨害排除請求権の行使として、Ａが単独で全部抹消登記手続を請求することを認める（最判昭和31・５・10民集10巻５号487頁）。

ＡＢＣが土地を共有し、ＡＢＣ名義の登記がなされていたところ、Ｃの持分権に関する部分について、Ｄに不実の持分移転登記がなされた。このとき、Ａが単独で、Ｄへの持分移転登記の抹消を求めることができるか。ここでは、Ａ自身の持分権が侵害されていないようにみえる。しかし、判例は、Ａは自己の持分権に基づいて、Ｄに対し単独で抹消登記手続を請求できるとする（最判平成15・７・11民集57巻７号787頁）。

持分権は、共有物全体に対して効力を有する。したがって、Ａの持分権は、土地全体に及んでいる。Ｄ名義の登記は、土地に対する侵害であると評価できるので、Ａの請求が認められる。実質的にも、土地の管理に支障をきたすおそれがあるので、この結論を正当化できるだろう。

(2) 損害賠償

ＡＢが同じ持分割合で共有する別荘に、Ｃの運転する車が激突し、別荘が一部損壊し、1000万円の損害が生じた。この場合、ＡＢはＣに対して、不法行為（709条）に基づく損害賠償を請求できる。具体的には、ＡＢはＣに対して、500万円ずつの賠償を請求できる。Ａが単独で、Ｃに対して1000万円を請求することはできない。損害賠償請求権は可分債権であり、共有者の持分に応じて分割帰属すると考えられるからである（427条）。

4　共有の消滅

ＡＢの共有する別荘が、火事で焼失した。この場合、別荘の共有関係は当然消滅する。単独所有の別荘が焼失すれば、その所有権が消滅することと同様である。さらに、共有には特有の消滅原因がいくつかある。

(1)　持分権の放棄・相続人不存在

(a)　持分権の放棄

Ａが所有する本を捨てた場合、Ａは所有権を放棄したことになる。この本は無主物となる。

それでは、ＡＢが本を共有しており、Ａが持分権を放棄した場合、どうなるのか。民法は、共有者の１人が持分権を放棄した場合、他の共有者に帰属するとしている（255条）。したがって、本はＢの単独所有となる。

(b)　相続人不存在

資産家Ａが死亡したが、Ａには相続人がいなかった。このとき、Ａの財産はどのように扱われるのか。まず、家庭裁判所により、Ａの相続財産の清算人が選任される（952条）。そして、Ａに対する債権者、Ａの遺言によって遺産を受け取る権利を持つ者（受遺者）がいれば、これらの者に清算がなされる（957条）。また、Ａに特別な縁故があった者がいれば、この者に対して、財産が分与される（958条の２）。それでも財産が残った場合、国庫に帰属する（959条）。

ＡＢＣが別荘を共有しており、Ａが死亡した。このとき、Ａに相続人Ｄがいれば、別荘はＢＣＤの共有となる。それでは、Ａに相続人がいなかった場合どうなるのか。民法は、相続人が不存在の場合、持分権は他の共有者に帰属するとする（255条）。したがって、別荘はＢＣの共有物となる。

(2)　共有物分割の意義

(a)　分割請求自由の原則

ＡＢが同じ持分割合で土地を共有している。ＡＢが土地の使用方法（管理）について対立した。管理は過半数により決定しなければならないが（252条１

項)、ＡＢのいずれかだけでは過半数を得られない。このまま、ＡＢのいずれも土地を使用できないとなると、両者にとって不利益となる。また、ＡＢが対立したままであると、土地の管理などが行われなくなってしまう。このような事態を防ぐため、共有者はいつでも共有物の分割を請求できる（256条１項)。共有物の分割請求は、共有者間に生じた紛争の解決手段として必要とされる。

(b) 例外としての不分割契約

例外的に、不分割契約が結ばれている場合、共有物の分割請求は認められない。ただし、不分割契約は５年を超えることができない（256条１項ただし書)。不分割契約を更新することもできるが、更新期間も同様に５年を超えることができない（同２項)。長期間の不分割契約を認めると、ＡＢ間の紛争を放置することになりかねないからである。

ＡＢが共有する土地について、不分割契約を結んだ後、Ｂが自己の持分権をＣに譲渡した。Ｃは、ＡＢ間の不分割契約に拘束される（254条)。ただし、不動産（土地建物）の共有の場合、ＡＢは不分割契約を登記しておかなければ、第三者Ｃに不分割契約を対抗できない（不登59条６号)。

(c) 分割できない共有物

共有の中には、その性質上、分割が認められないものがある。第１に、境界線上に設けられた境界標などを、相隣者が共有する場合である（257条)。第２に、組合財産の共有の場合である（676条３項)。第３に、区分所有法上の共用部分・敷地である。

(d) 遺産分割との関係

共同相続された個々の財産について、共同相続人は、原則として、共有物分割手続をとることはできず（258条の２第１項)、遺産分割手続（907条）をとらなければならない。遺産分割手続は、遺産全体の価額に特別受益（903条、904条）や寄与分（904条の２）等を加味して算出した具体的相続分に基づいて行うものであるため、遺産の全体を把握しなければ分割することができないからである（906条）（→詳しくはNBS『家族法』)。

例外的に、共有物分割手続が認められることがある。ＡＢが等しい割合で物を共有していたところ、Ａが死亡し、Ａの持分を子ＣＤが共同相続により取得した（持分割合はＢ：Ｃ：Ｄ＝２：１：１となる)。相続開始から10年以内であれば、ＣＤは、基本的に遺産分割手続をとらなければならない。ただ、相続開始時から10年を経過したが、遺産分割はなされていないとき、Ｃは共有物分割手続をとることができる（258条の２第２項）。10年の経過が必要とされる理由は、共同相続人は、具体的相続分に基づく遺産分割を求める利益を10年の経過により失うからである（904条の３本文）。

森林法違憲判決（最大判昭和62・４・22民集41巻３号408頁）

森林法旧186条は、共有の森林について、持分価額が２分の１以下の共有者は分割請求できないとしていた。最高裁は、この規定が、憲法29条２項に違反すると判示した。その前提として、共有物分割請求権が「共有の本質的属性」であるとする。しかし、すでに述べたとおり（→161頁「共有の３類型」）、共有にはさまざまな形態がある。また、民法上、分割できない共有も少なからず存在する。そのため、分割請求権を共有の本質的属性とまで言い切れるのか、疑問がある。

(3) 共有物分割手続

ＡＢＣが土地を共有していたところ、管理方法をめぐって紛争が生じたため、ＡはＢＣに共有物の分割を請求したいと考えた。共有物分割手続は、具体的にどのように進められるのか。

まず、共有者の協議による分割（協議分割）が試みられる。したがって、ＡはＢＣと分割を協議しなければならない。この分割の協議が調わないとき、また、ＢやＣが協議に応じないため協議ができないとき、Ａは裁判所に分割を請求できる（258条１項）。ＡはＢＣの双方に対して、共有物分割請求権を行使する必要がある。

(a) 協議分割

ＡＢが共有する土地を協議により分割する場合、具体的に、どのように分割すればよいのだろうか。協議分割の場合、方法に制限はない。ＡＢは土地を現実に分割して、それぞれの部分を取得できる（現物分割）。Ａが土地を単独で取得し、Ｂに代金を支払うこともできる（賠償分割）。ＡＢが２人で土地を売却し、売却代金を分割することもできる（代金分割）。これらを組み合わせることもできる。

(b) 裁判分割

(i) **分割方法** 他方、裁判による共有物分割の場合、方法に制限がある。裁判所は、現物分割または賠償分割をしなければならない（258条２項）。持分権は所有権の一種であり、基本的に持分割合に応じて現実に分割するのが公平である。また、現物分割と賠償分割に先後関係をつけることは困難である。常に現物分割が可能とは限らず、また、可能だとしても持分割合にしたがった分割が可能とは限らず、金銭で調整する必要がある場合もある。

現物分割ができないとき、また、現物分割をすると共有物の価格が著しく減少するおそれがあるときは、共有物を競売してその売却代金を分割できる（同３項）。この代金分割は、共有者に物の現実的な取得をあきらめさせ、物に対する権利を否定することになるため、例外的措置と位置づけられる。

(ii) **現物分割** 現物分割は、共有物を現実に分割する方法である（258条２項１号）。ＡＢが甲乙土地を共有する場合に、甲乙を一括して現物分割の対象とすること（一括分割）も認められる。したがって、Ａが甲を取得し、Ｂが乙を取得することもできる【図表8-3】。

また、ＡＢＣが共有する土地を、Ａの持分の限度で分割（一部分割）し、残りの部分をＢＣが共有することもできる【図表8-4】。ＡがＢＣに共有物分割を請求する場合でも、ＢＣがＡに共有物分割を請求する場合でも、一部分割は認められる。

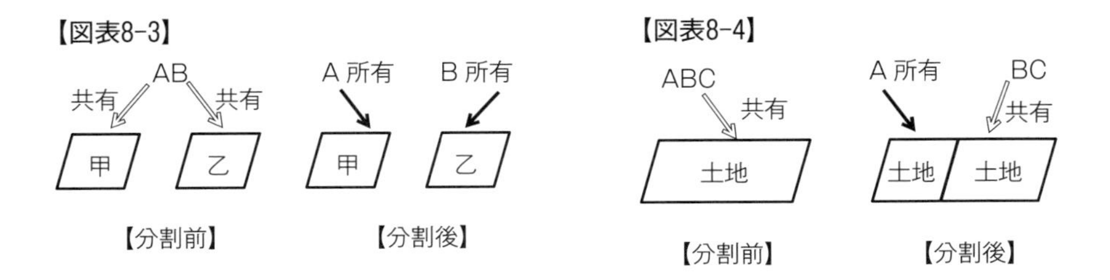

(iii) **賠償分割** 賠償分割は、共有者に債務を負担させて、他の共有者の持分の全部または一部を取得させる方法である（258条２項２号）。

ＡＢが共有する土地を、Ａが単独で取得し（Ｂの持分の全部を取得し）、Ａが

Ｂに持分権の対価を支払うという方法が全面的価格賠償である【図表8-5】。最判平成８・10・31民集50巻９号2563頁は、特段の事情がある場合に限って、この方法を認めている。特段の事情とは、共有関係の事情を総合的に考慮した上で、①共有物を共有者のうちの特定の者に取得させるのが相当であること、②価格が適正に評価され、共有物を取得する者に支払能力があり、他の共有者にその持分価格を取得させることとしても共有者間の実質的公平を害しないこと、以上の２点が認められる場合とされている。

判例は、なぜ全面的価格賠償に特段の事情を要求するのか。持分権は所有権の一種であることから、原則として、これを消滅させることはできない。とはいえ、事実上分割が不可能な場合もある。そこで、特定の者の取得が相当で、かつ、取得者に支払能力があり公平を害しない場合に、例外的に認められるとしている。

ＡＢが共有する土地を現物分割する場合、Ａの取得する部分の価格が、Ａの持分権の価格を上回っているとき、ＡがＢに対して超過分の対価を支払うこと（一部価格賠償）もできる【図表8-6】。

賠償分割を認める場合、共有者間の実質的公平を実現するために、金銭債務の履行を確保する必要がある。そこで、裁判所は、共有物分割に際して、金銭の支払、物の引渡し、登記義務の履行その他の給付を命じることができるとされている（258条４項）。

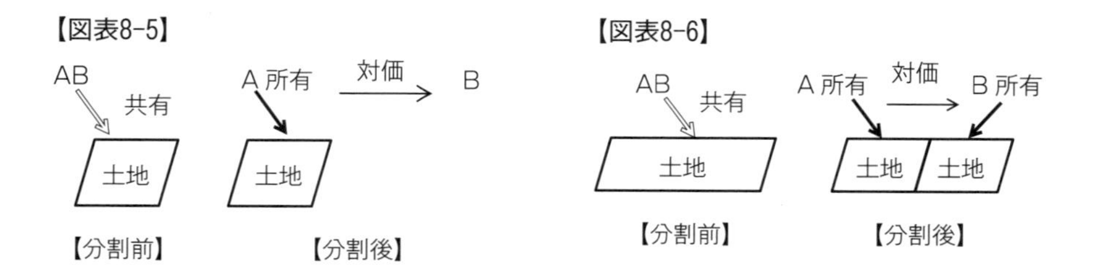

(4)　分割の効果

(a)　共有関係の消滅

共有物の分割がなされると、共有関係は消滅する。共有者の持分権は消滅し、その代わり、自己に帰属するとされた部分についての単独所有権などを取得する。共有物分割によって、単独所有権以外にも、共有持分権、金銭債権、金銭などさまざまなものを各人は取得する。

(b) 担保責任

ＡＢが別荘を共有していたが、ＡＢの協議分割により、Ａが別荘を取得し、ＢがＡから代金を取得した。共有物分割後、１か月ほどして、別荘の水道管の一部が水漏れしていることが判明した。このとき、ＡはＢに対して担保責任を追及できる（261条）。共有物分割により、ＡとＢは持分権の売買を行っているといえるからである。そのため、ＡはＢに対して、損害賠償（415条）や分割協議の解除（541条）を求めることができる。ただし、裁判分割の場合、裁判の結果を覆すことになるので、解除はできないと考えられている。

(c) 持分権上の担保物権

ＡＢが土地を共有しており、Ａの持分権に対して、Ｃの抵当権が設定された。ＡとＢの協議により、土地の現物分割が行われたとき、Ｃの抵当権はどうなるか。

理論的に考えてみると、Ｃの抵当権は、Ａの持分権を対象としており、この持分権が消滅したため、Ｃの抵当権も消滅するとも考えられる。しかし、このように処理すると、Ｃの権利は著しく害される。そこで、判例・通説は、Ｃの抵当権は土地全体について、すなわち、Ａが取得した部分だけでなくＢが取得した部分にも、Ａの持分割合に応じて効力が及んでいるとする。Ｃの抵当権が、現物分割によってＡの取得部分のみに及ぶこととなると、Ｃは予期せぬ不利益を被るおそれがあるからである。

同様の事例で、ＡがＢに価格賠償をして、共有地を単独で取得したとする。この場合、Ｃの抵当権は、土地全体ではなく、Ａの持分権の上に存続する。Ａの持分権は消滅しない（179条１項ただし書類推適用）。

ＡがＢから全面的価格賠償を受けた場合はどうか。ＡはＢに対する金銭債権を取得するので、ＣはＡの債権に物上代位できる（372条）。また、通説は、Ａの持分権が存続し、これにＣの抵当権が存続すると考えている。このように考えるとＢに不利益が及ぶようにも思えるが、Ｂは共有物分割の際、Ｃの抵当権の存在を前提として取得額などを決めればよいだけである。

(5) 所在等不明共有者の持分の取得・譲渡

所在等不明共有者がいることにより、共有者が共有物の管理・変更をできない場合、共有物分割請求の方法により共有関係を解消することが考えられる。このとき、所在等不明共有者と協議をすることができないので、裁判分割の方法をとることになる。ただ、裁判分割の方法は、一定の時間がかかり、また、具体的な分割方法は裁判所の裁量的な判断に委ねられているため、予測が困難である。さらに、共有者の一部が誰であるのかが特定できない場合に、手続を行うことはできない。そこで、不動産の共有者は分割の方法によることなく、当該不明共有者の持分取得を裁判所に請求できる（262条の2第1項）。所有者不明土地対策であるため、対象が「不動産」に限定されている。この請求が認められた場合、所在等不明共有者は、持分を取得した共有者に対し、当該持分の時価相当額の支払いを請求できる（同4項）。

また、所在等不明共有者がいる場合に、他の共有者全員が同意していれば、共有物である不動産全体を売却することを裁判所に請求できる（262条の3第1項）。所在等不明共有者以外の共有者の全員が、特定の者に対してその有する持分の全部を譲渡することを停止条件として、所在等不明共有者の持分を譲渡する権限が付与される。持分が譲渡されたとき、所在等不明共有者は、譲渡した共有者に対して、持分に応じて按分して得た額の支払を請求できる（同3項）。

5 準共有

所有権以外の財産権を共有する場合を、準共有といい、共有の規定が適用される（264条）。たとえば、地上権・地役権などの用益物権、抵当権などの担保物権、鉱業権・漁業権などの準物権、著作権・特許権・商標権などの知的財産権の準共有がある。

債権については、基本的に、多数当事者の債権関係の規定（427条以下）が適用される。ただし、預金債権が共同相続された場合（最大決平成28・12・19民集70巻8号2121頁）、賃借権などの利用権は、準共有となることがある。

所有者不明・管理不全土地等管理制度

不明所有者の財産管理制度として、不在者財産管理制度（25条～29条）、相続財産管理制度（951条～959条）があるが、これらは不在者等の財産全般を管理するもので、特定の財産を管理する制度ではない。そこで、裁判所が所有者を知ることができず、またはその所在を知ることができない土地について、必要があるときは、利害関係人の請求により、所有者不明土地管理人を選任し、当該管理人による管理を命じることができる制度が創設された（264条の２）。所有者が「不明」であることについては、裁判所が事案に応じて認定する。建物についても同様の管理制度が設けられた（264条の８）。

土地の所有者は明らかでも、土地が現に管理されておらず、または適切に管理されていないことがある。近隣の土地所有者は、権利・利益侵害（またはそのおそれ）があれば物権的請求権等を行使できる。しかし、管理人による管理は想定されていないので、継続的な管理が必要なケースには対応が困難である。そこで、裁判所が、所有者による土地の管理が不適当であることによって他人の権利・利益侵害（またはそのおそれ）がある場合で、必要があると認めるとき、利害関係人の請求により、当該土地を対象として、管理不全土地管理人による管理を命ずる処分ができる制度が創設された（264条の９）。建物についても同様の制度が設けられた（264条の14）。

Ｖ　建物区分所有

１　建物区分所有とは

マンションの所有関係について定める「建物の区分所有等に関する法律」（区分所有法）は、実世界では重要であるが、民法の中ではあまり詳しく取り扱われない。その理由は、区分所有が民法の所有権・共有の理解を前提とする応用問題だからである。ここでは、民法と比較をしながら、区分所有の特徴的な部分についてのみ説明を行う。

2　権利構造――所有関係

区分所有法により、建物の一部（専有部分）に対する所有権（区分所有権）が認められている。専有部分を所有するためには、建物全体・敷地を使う権利が必要となる。すなわち、建物や敷地利用権に対する共有持分権が必要となる。

このように、区分所有においては、①専有部分に対する所有権（区分所有権）、②共用部分に対する共有持分権、③敷地に対する共有持分権（敷地利用権に対する準共有持分権）、以上の３つの権利が存在する。区分所有を考える際には、３つの権利のいずれが問題となっているのかを意識する必要がある。

(1)　専有部分に対する所有権（区分所有権）

(a)　目的物の特殊性

【図表8-7】

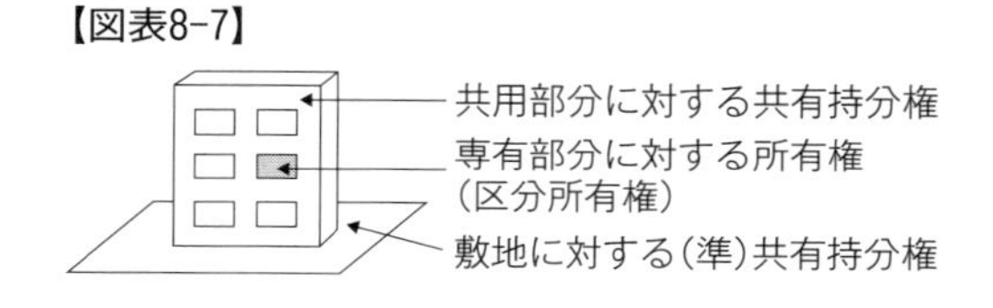

区分所有法が民法の特別法である最大の理由は、区分所有権が建物の一部に認められることにある。一物一権主義（→9-10頁）からすると、建物の一部に対して所有権は認められないはずである。

ＡがＢから購入しようとしていたマンションの部屋が、実は、隣の部屋とふすまで区切られているに過ぎなかった。互いの部屋の間には簡単に開け閉めできるものしかない。このような部屋に対して、区分所有権は認められない。区分所有権の範囲が不明確であり、これを認めると、取引の安全を害するからである。

区分所有権の対象となるのは、①構造上区分され、②独立して住居などの用途に供することができる部分に限られる（建物区分１条）。車庫の場合は、周囲を完全に遮断されていなくとも、範囲が明確で、独立に支配できればよいとされる。

(b)　区分所有権の内容

区分所有権は、民法上の所有権と何が異なるのか。基本的には、民法上の所有権（206条）と同じく、使用・収益・処分権限が認められる。したがって、区分所有者は専有部分に自ら居住せず、第三者に賃貸してもよい。また、区分所有権の売却や、これに対する抵当権の設定もできる。

(c) 区分所有権の制限

本来、区分所有者は、所有物である専有部分をどのように使おうと自由である。たとえば、区分所有者が専有部分を暴力団事務所として使うこともできそうである。

しかし、区分所有者は、共同の利益に反する行為をしてはならないとされる(建物区分6条1項)。区分所有権は、目的物の特殊性から、所有権の効力が強く制限されている。たとえば、暴力団同士の抗争が発生する危険性があるため、暴力団事務所として使うことは許されないと考えられる。

区分所有者が共同の利益に反した場合、後述する管理組合は、義務違反者に対して、違法行為の停止(同57条)、専有部分の使用禁止(同58条)を求めることができる。さらには、区分所有権の競売請求も可能である(同59条)。このように、区分所有権は強力な制限に服している。

(2) 共用部分に対する共有持分権

(a) 共有持分権の必要性

専有部分は、床、壁、天井などの建物部分がないと存在しえない。そのため、区分所有者は、廊下、階段、エレベーターなど、専有部分以外の建物部分(共用部分)に対する共有持分権(同11条)も取得する。

(b) 共有持分権の内容

区分所有者の有する共有持分権も、基本的には、民法上の共有持分権と同様の性質を有すると考えられている。しかし、区分所有の特殊性から、使用・収益・処分権限について、大きな修正がなされ、民法の共有規定の適用は排除されている(同12条)。

たとえば、持分割合は均等と推定されず、専有部分の床面積の割合による(同14条)。共用部分の使用は、持分割合ではなく、用方に従って使用できる(同13条)。共用部分の管理は、持分価格ではなく、集会での区分所有者および議決権の各過半数により決する(同18条)。共用部分の変更は、全員の同意ではなく、集会での区分所有者および議決権の各4分の3以上の多数により決する

（同17条）。

(c)　共有持分権の制限

共用部分に対する共有持分権は処分できるが、専有部分の処分に従う（同15条）。つまり、共用部分に対する共有持分権は、区分所有権と別個に処分できない。また、区分所有者は、共有物分割請求権を行使できない。これを認めると、区分所有関係は維持できなくなるから当然のことである。

(3)　敷地に対する共有持分権

区分所有者は、区分所有権、建物に対する共有持分権に加え、敷地に対する共有持分権を有する必要がある。借地権などの敷地利用権を準共有する場合もある。建物は敷地利用権がないと、適法に存続しえないからである。

敷地の管理については、共用部分の管理の規定が準用される（同21条）。この敷地に対する共有持分権は、専有部分と分離処分できない（同22条）。

3　団体法的規律

区分所有のさらなる特徴は、管理組合、集会、規約など、団体法的な概念が存在することである。会社でいえば、管理組合は株主全体、集会は株主総会、規約は定款に相当する。所有権と団体の側面をいかに調和させるかが区分所有の課題となる。

(1)　管理組合・集会

(a)　管理組合

マンションには管理組合が存在するが、区分所有法に管理組合という文言は使われていない。管理組合とは一体何なのか。Ａらが、分譲業者Ｂから、同じマンションの専有部分に対する区分所有権を取得したとする。Ａらに団体を結成する意思があろうとなかろうと、Ａら区分所有者は、マンションを管理するための団体を構成する（同３条）。この団体が管理組合である。区分所有者は、管理組合から脱退することはできない。管理組合は、強制加入団体である。

(b)　集会

集会は、管理組合の意思決定機関である（同34条）。管理などの基本的な事項は、区分所有者および議決権の各過半数で決議する（普通決議）。後述する規約の変更、復旧、建替えのような重要な事項は、区分所有者および議決権の各４分の３以上、５分の４以上などの多数により決議する（特別決議）。これらの決議では、議決権だけでなく、頭数も必要である点には注意が必要である。

(2) 規約

ほとんどのマンションで規約が定められている。規約とは、建物等の管理・使用に関して、区分所有者相互の事項を定めるものである（同30条１項）。専有部分・共用部分の範囲・使用方法、管理費、管理組合の組織、会計などマンションの重要な事項について定めが置かれる。規約の設定・変更・廃止は、区分所有者および議決権の各４分の３以上の多数により行われる（同31条１項前段）。区分所有権は、この規約により大きく制限されうる。そのため、一部の区分所有者の権利に特別の影響を及ぼすべきときは、その承諾を得なければならない（同31条１項後段）。

「特別の影響」が問題となったものとして、次の事例があげられる。Ａがマンション分譲業者Ｂから区分所有権を購入した。ＡはＢから、駐車場についての専用使用権も購入し、規約にこの権利が規定されていた。後に、管理組合Ｃが駐車場使用料の増額を決議したが、Ａが応じなかったので、Ｃが駐車場の使用契約を解除した。この場合、使用料の増額は、社会通念上相当な範囲で認められるが、使用料不払を理由とする契約解除は認められない（最判平成10・10・30民集52巻７号1604頁）。

(3) 復旧・建替え

地震などの災害や老朽化などによって、マンションの一部が崩れ滅失してしまうことがある。このとき、マンションを滅失前の状態に戻すこと（復旧）、場合によっては、マンションを建て替えることが必要となる。

(a) 復旧

①建物価格の２分の１以下が滅失（小規模滅失）した場合には、普通決議により、②建物価格の２分の１を超えて滅失（大規模滅失）した場合には、変更と同様に特別決議により、復旧を行うことができる（同61条１項・３項・５項）。

(b)　建替え

建替えは、区分所有者および議決権の各5分の4以上の多数により決議をすることができる（同62条）。建替え決議成立後、建替え参加者は、建替え不参加者へ区分所有権および敷地利用権を時価で売り渡すことを請求できる（同63条）。これにより、建物の区分所有権がすべて建替え参加者に帰属し、建物の取り壊し、すなわち、所有権の消滅を正当化できる。

区分所有法改正議論

現在、建築後相当年数を経過した老朽マンションが増加していることから、区分所有法の改正が検討されている。具体的には、建替え決議に必要となる5分の4以上の賛成という要件の緩和、区分所有関係の解消制度の創設などが議論されている。

建替えが決議されると、建替えに参加しない者は、建替え参加者などにより区分所有権の売渡請求権を行使され、その結果、意思によらずに区分所有権を売り渡す義務が生じる。もちろん、時価での補償はなされるが、本人の意思がないにもかかわらず、多数決という「数の論理」によって、所有権が奪われる。所有権の剥奪という重大な結果を導く以上、圧倒的多数の意思が必要であり、厳格な多数決要件が必要である。もし多数決要件を緩和するのであれば、一定の客観的な要件を設定し、別の正当性を提供する必要があると考えられる。

区分所有関係の解消制度は、たとえば、マンションとその敷地を売却する決議を行うことを認めるものである。区分所有権の換価を目的とする。建替え決議と同様、本人の意思がないにもかかわらず、多数決という数の論理によって、所有権が奪われる結果となる。また、建替えと異なり、区分所有建物での居住がまったく不可能になるという問題がある。制度そのもの、またその要件について、慎重な検討を要する。

第9章

用益物権

用益物権とは、他人の土地を使用収益することを内容とする物権である。土地に対する直接の支配権である点で、貸主に対して土地の使用収益を請求することができる権利（債権）である使用借権（593条）や賃借権（601条）とは異なっている。

民法は、用益物権として、使用収益の内容に応じて【図表9-1】のものを定めている。これらのうち、「永小作権(えいこさく)」は実際にはほとんど使われていないため説明を省略し、以下では、「地上(ちじょう)権」、「地役(ちえき)権」、「入会(いりあい)権」を取り上げる。

【図表9-1】

名称	使用収益の内容
地上権	工作物または竹木を所有するため（265条）
永小作権	耕作または牧畜のため（270条）
地役権	自己の土地の便益のため（280条）
（共有の性質を有しない）入会権	入会団体が共同で使用収益するため（294条）

I　地上権

1　地上権の意義

(1)　地上権とは

地上権とは、工作物または竹木を所有するために他人の土地を使用することを内容とする物権である（265条）。工作物とは、建物のほか、橋梁・トンネル・高架など地上および地下の一切の施設が含まれる。

たとえば、Ａが建物を建てるために甲土地（Ｂ所有）を使用したい場合には、Ａは、Ｂと地上権設定契約を結び、甲に建物を所有するための地上権の設定を受ければ、甲の上に建物を建てることができる（以下ではこれを「設例」と呼ぶ）。

(2)　賃借権との比較

設例のＡは、Ｂと賃貸借契約を結び、甲の賃借権を取得することによっても甲の上に建物を建てることができる（601条）。そこで、物権である地上権と債権である賃借権を比較すると、次のような違いがある。

第１に、地上権は登記をすれば第三者に対抗することができる（177条）。土地の賃借権も同様であるが（605条）、賃貸人が賃借権設定登記に応じない場合に、賃借人は賃貸人に対して登記請求権（→84-85頁）を有しておらず（大判大正10・7・11民録27輯1378頁）、登記の具備は実際上難しい。これに対して、地上権者は土地所有者に対する登記請求権を有しており、これを行使して確定判決を取得すれば、単独で地上権設定登記の申請ができる（不登63条）。

第２に、地上権は長期の存続期間を予定している（→186頁）。他方で、賃借権の存続期間は50年が上限になっているが（604条１項）、存続期間の定めがないときは賃貸人が容易に解約することができる（617条）。

第３に、地上権者は自由に地上権を譲渡したり土地を賃貸することができ、地上権を抵当権の目的とすることもできるが（→187頁）、賃借人が賃借権を譲渡したり賃借物を転貸することは制限され（612条）、賃借権を抵当権の目的とすることもできない。

こうして比較すると、設例のAが建物を所有するために甲を長期的に安定して利用するには、地上権のほうがふさわしいといえる。

(3) 特別法による修正

土地に地上権のような強力な権利がひとたび設定されると土地所有者には重い負担となるため、土地所有者は地上権の設定に応じないことが多い。実際にも、工作物・竹木を所有するために使われたのは賃借権であった。しかし、賃借権では、前述のように、長期的に安定した土地利用を確保するのが難しくなる。

そこで、とくに社会生活の基盤となる建物所有を目的とする土地貸借権について、賃借人の地位の保護・強化を図るために、借地借家法が制定されている。同法は、建物所有を目的とする土地賃借権と建物所有を目的とする地上権に「借地権」という概念を与えて統一的なルールを設け（借地借家2条1号)、借地権者（建物所有を目的とする土地賃借人および地上権者）の地位の保護・強化を図っている。(2)で見た相違点についても、以下のように修正されている（詳しくはNBS『契約法』143-160頁、167-169頁参照)。

第1の対抗力については、借地権自体の登記がなくても、土地の上に借地権者が登記された建物を所有していれば、借地権の対抗力が認められる（借地借家10条1項)。

第2の存続期間については、借地権の存続期間は必ず30年以上とされる（借地借家3条。存続期間の定めのない借地権は認められない)。さらに、借地権の存続期間満了の際、一定の場合には契約が更新されたものとみなされ（借地借家5条・6条)、借地権の存続の保護が図られている（ただし、更新を排除した定期借地権の制度もある。借地借家22条〜24条参照)。

第3のうち、譲渡・転貸が制限された土地賃借権については、借地権設定者（土地賃貸人）が賃借権の譲渡や土地の転貸を承諾しないときでも、借地権者の申立てにより、裁判所が借地権設定者の承諾に代わる許可を与えることができる（借地借家19条・20条)。この制度により、地上権と土地賃借権との相違は小さくなっている。

このようにして、現在では、建物所有を目的とする土地賃借権も地上権に類似する効力を持つようになっており、「不動産賃借権の物権化」と呼ばれている。他方で、地上権でも建物所有を目的とする場合（つまり借地権に当たる場合）には、借地借家法が適用される結果、民法のルールが修正されることがある。

2　取得・存続期間・対抗要件

(1)　取得

地上権は、設例のように、土地所有者と地上権者との地上権設定契約によって取得される。また、時効によっても取得されるが、そのためには、土地の継続的な使用という外形的事実の存在に加えて、工作物・竹木を所有するために他人の土地を排他的に使用しているなど、その使用が地上権行使の意思に基づくことが客観的に表現されていることが必要だと解されている。

地上権の取得にはさらに、388条や民事執行法81条による法定地上権の成立、都市再開発法88条に基づく地上権の取得などがある。

(2)　存続期間

当事者が存続期間を定めたときは、その期間による。永小作権（278条）や賃借権（604条）と異なり、上限はない。

当事者が存続期間を定めなかったときは、慣習がある場合は慣習によって存続期間が定まる（268条1項）。慣習がない場合は、裁判所が、当事者の請求により、地上権設定時から20年以上50年以下の範囲において、工作物・竹木の種類や状況、地上権設定当時の事情を考慮して存続期間を定める（同2項）。

ただし、建物所有を目的とする地上権については、1(3)で見たように（→185頁）、借地借家法が適用され、存続期間は最低30年となる（借地借家3条）。

(3)　対抗要件

地上権の設定・移転等は、登記をしなければ第三者に対抗することができない（177条）。設例のAが地上権設定登記をしていなかったところ、Bが甲をCに譲渡した場合には、Aは、甲について地上権の設定を受けたことをCに対抗することができず、Cから甲の返還請求を受ければこれに応じなければならないのが原則である。

もっとも、1(3)で見たように（→185頁)、建物所有を目的とする地上権については、借地借家法10条1項のルールも適用される。その結果、設例のAは、地上権設定登記をしていなくても、甲の上に登記された建物を所有していれば、自己の地上権をCに対抗することができる。

3　地上権の効力

(1)　土地使用権

地上権者は、工作物・竹木を所有するために土地を使用することができる。ただし、回復困難な損害を生ずべき変更を土地に加えることは許されないと解されている（271条参照)。

物権である地上権は土地を直接支配する権利である（→2頁）から、地上権者は自分で土地を利用に適した状態にすることができる。他人が土地の利用を妨害している場合も、地上権者はその妨害者に対して自ら妨害排除の請求ができる（→188頁）ことから、地上権者は、土地所有者に対し、妨害を排除して土地を利用可能な状態にせよと請求することはできない。土地所有者の側から見れば、土地所有者は、地上権者の土地利用を妨げないという消極的な義務を負うにとどまり、賃貸人のように土地を使用収益させる積極的な義務（601条・606条）までは負わない。

地上権者が地上権に基づいて土地を利用する場合も、近隣の土地の利用との調整を図る必要がある。そこで、相隣関係の規定（209条〜238条）は、地上権者間または地上権者と土地所有者との間にも準用される（267条)。

(2)　譲渡・賃貸と担保権設定

地上権者は地上権を譲渡し、または、地上権の目的である土地を第三者に賃貸することができる。明文の規定はないが、物権としての性質（→2頁）から当然に認められると解されている。また、地上権者は、地上権を目的とする抵当権を設定することもできる（369条2項)。したがって、設例のAは、甲の上の建物とともに地上権を他人に譲渡したり、あるいは、甲の上の建物と地上権に他人のための抵当権を設定して、その他人から金銭を借りることができる。

(3) 地上権に基づく物権的請求権

地上権は物権であるから、地上権者は、地上権に基づき、侵害者に対し直接に物権的請求権を行使することができる。物権的請求権の内容としては、地上権が土地を占有すべき権能を含むことから、所有権の場合と同様、妨害排除請求権・妨害予防請求権だけでなく返還請求権も認められる。

(4) 地代の支払

地上権が設定されても、地上権者は土地所有者に対して当然には地代の支払義務を負わない。地上権者が地代の支払義務を負うには、当事者間の合意が必要とされる（265条・266条参照）。

地代の内容は原則として、当事者間の合意によって決定・変更される。ただし、裁判所が地代の内容を決定・変更する場合がある（388条、借地借家17条等参照）。また、建物所有を目的とする地上権については、地代額が諸事情により相当でなくなった場合に、地代の増減額請求が認められている（借地借家11条1項）。

地代の支払に関しては、永小作権に関する274条〜276条の規定や賃貸借の規定が準用される（266条）。

4 地上権の消滅

(1) 消滅原因

物権一般の消滅原因のほか、存続期間の満了、土地所有者からの地上権消滅請求（266条1項・276条）、地上権者による地上権の放棄（268条1項）によって消滅する。

存続期間の満了によって消滅する場合には、当事者間で更新の合意をしたときを除き、更新は強制されない。しかし、設例のような建物所有を目的とする地上権については、一定の要件を満たすと更新されたものとみなされるなど（借地借家5条・6条）、地上権の存続の保護が図られている（→185頁）。

なお、地上権を目的とする抵当権が設定されている場合には、地上権者は、地上権の放棄を抵当権者に対抗することができない（398条）。

⑵　消滅時の効果

地上権が消滅した場合には、地上権者は、工作物・竹木を収去して土地を原状に復することができる（269条１項本文）。これは、地上権者の権利であると同時に義務でもある。ただし、土地所有者が時価相当額を提供して工作物・竹木を買い取る旨を通知したときは、地上権者は、正当な理由がない限り、これを拒むことができない（269条１項ただし書）。以上と異なる慣習がある場合はその慣習による（269条２項）。

この買取権は、土地所有者の権利であって義務ではない。また、地上権者から土地所有者に対して買取請求権を行使することはできない。その結果、土地所有者が買取権を行使しなければ、地上権者は工作物の収去を強いられることになる。しかし、収去によって土地や工作物に著しい損傷や減価が生じると、地上権者の利益が害され、国民経済的にも損失となる。そこで、設例のような建物所有を目的とする地上権については、存続期間の満了により地上権が消滅した場合に、地上権者Ａは、土地所有者Ｂに対し、甲の上の建物を時価で買い取るべきことを請求することができる（借地借家13条、特約でこれを排除しうる同22条も参照）。これにより、Ａは建物に投下した資本をＢから回収することができ、建物の存立も図られる。

区分地上権

都市では、空中にケーブルや橋梁を敷設し、地下に地下鉄やトンネルを建設するなど、土地の立体的な各層を別個の権利者がそれぞれ利用する必要性が高い。そのような要請に応えるために、地上権は、他人の土地の地下または空間の一部を、上下の範囲を定めて使用するためにも設定することができる。一般の地上権が土地の上下に及ぶのに対し、これは土地の一定の層のみを客体とする地上権であり、「区分地上権」と呼ばれる。

区分地上権の性質と内容は、一般の地上権と基本的に同様であるが、特別なルールがいくつか規定されている（269条の２）。

Ⅱ　地役権

1　地役権の意義・性質

(1)　地役権とは

地役権は、一定の目的に従って、自己の土地の便益のために他人の土地を利用する物権である（280条）。たとえば、甲土地を所有するAが道路に出入りするのに乙土地（B所有）を通行すると便利な場合には、Aは、Bとの間で地役権設定契約を結び、乙に通行を内容とする地役権の設定を受けることができる（以下ではこれを「設例」と呼ぶ）。

地役権によって便益を受ける土地（280条の「自己の土地」）を要役地、要役地の便益に供される土地（280条の「他人の土地」）を承役地という。設例でいえば、甲が要役地、乙が承役地に当たる。

要役地に供される便益の種類・内容は、原則として自由である（280条本文）。実際の地役権の例として、設例のような通行を内容とする地役権（通行地役権）のほかに、水を引くために承役地を利用すること（引水地役権）、要役地からの眺望を確保するために承役地での建築を禁止すること（観望地役権）、などが見られる。

地役権と相隣関係の比較

地役権は、機能的には、要役地の便益を高めるために要役地と承役地の利用を調整する機能を果たしている。その点では、用益物権ではなく所有権の内容・制限として構成された相隣関係（→145-150頁）と似ている。しかし、両者には次のような違いがある。

①相隣関係上の権利は、要件を満たした場合に法律上当然に成立する。設例でいうと、甲が袋地、乙が囲繞地にそれぞれ当たれば、AB間の契約がなくても、Aは乙を通行する権利を有する（210条）。これに対して、地役権の場合は、甲が袋地に当たらないときであっても、甲の便益を高めるために、AB間の契約で乙に通行地役権を設定することができる。

②相隣関係は近隣の土地間の利用を調整するのに対し、地役権にはそのよう

な限定はない。たとえば、送電線を通す土地を承役地、遠方の発電所の敷地を要役地とする地役権も認められる。

③相隣関係上の権利は民法に定めるものに限定されているのに対し、地役権の目的となる便益の内容や種類は原則として自由に設定することができる。

このように見ると、相隣関係は近隣地の利用を必要最小限の範囲で調整する制度であるのに対して、地役権は、当事者の要請に合わせて、土地の利用を広範かつ柔軟に調整する制度であるといえる。

(2) 性質

(a) 共同利用性

地役権は、一定の目的の範囲で地役権者に承役地の共同利用を認める権利である。したがって、承役地所有者も、地役権者の利用を妨げない範囲で、承役地を利用することができる（288条参照）。設例では、乙にAのための通行地役権が設定されても、乙の所有者であるBは、Aの通行を妨げない範囲内で、乙を自ら利用したり、乙にCのための通行地役権を重ねて設定することができる。

(b) 付従性・随伴性

地役権は要役地の便益のために存在する権利である。設例でいえば、Aの通行地役権は甲の便益のために存在する。それゆえに、①Aは、通行地役権のみを、要役地である甲から分離して譲渡したり他の権利の目的とすることはできない（281条2項〔付従性〕）。②Aが甲の所有権をCに移転すると、甲のために設定された通行地役権も一緒にCに移転する。また、甲に地上権や抵当権が設定されたときは、地役権もともにこれらの権利の目的となるのが原則である（281条1項本文〔随伴性〕）。

(c) 不可分性

設例において、仮に承役地である乙をBとDが共有している場合に、Dが乙の自己の共有持分についてのみAの通行地役権を消滅させることは認めるべきでない。Aの通行地役権は、甲の便益のために乙（承役地）自体に設定された負担であり、D個人の負う負担ではないからである。このように、要役地または承役地が共有されている場合に、共有者の一部の者についてのみ地役権の取得や消滅を認めるのは適切でないという考えに基づき、民法は、地役権の取得や消滅において、共有者を一体的に取り扱う趣旨の規定を置いている（282条・284条・292条）。

2　地役権の取得・対抗要件

(1)　取得

設例のように設定契約によって地役権を取得するのが通常であるが、時効による取得、要役地の所有権とともに既存の地役権を取得する場合もある（281条1項参照）。また、設定契約が黙示に結ばれたと認定されることもある。

以下では、時効取得と黙示の設定を取り上げる。

(a)　時効取得

地役権は、継続的に行使され、かつ、外形上認識することができるものに限り、時効によって取得される（283条。なお、時効取得が認められるためには、さらに163条所定の要件も満たす必要がある。取得時効について→137頁）。

地役権の時効取得の対象が限定されたのは、次の理由による。不継続の地役権（承役地に通路が開設されていない通行地役権など）や非表現の地役権（承役地の地中に管を通している引水地役権など）の場合には、承役地所有者は、他人が承役地を利用していることに気づかないために、この他人に対して時効の完成猶予や更新の措置をとるのが難しい。また、承役地所有者が気づいていたとしても、承役地への負担が少ないために、（上記の措置をとらずに）このような利用を好意で黙認している可能性が高い。それにもかかわらず地役権の時効取得を認め、承役地所有者に地役権の負担を負わせるのは妥当でないからである。

以上と同じ理由から、通行地役権の時効取得が認められるためには、承役地となるべき他人所有の土地の上に通路が開設されているだけでなく、その開設が要役地の所有者によって行われることも必要であると解されている。

(b)　地役権の黙示の設定

とくに通行地役権においては、土地の開発・分譲にともなって通路が開設されたが、通路について近隣の土地所有者間で通行地役権の設定契約が明示的に結ばれないまま、現実には、その通路が通行のために利用され続けていることがよくある。このような場合に、通路の所有者が通行地役権を負担することが客観的に見て合理性があると認められるときや、一般人から見て通路に当然に通行地役権を設定するであろうと認められる客観的事情があるときには、明示的な合意がなくても、通路につき通行地役権の黙示の設定契約があったと解されている。

(2) 対抗要件

地役権の設定・移転等は、登記をしなければ第三者に対抗することができない（177条）。設例のAは、乙に通行地役権の設定を受けた旨の登記をしていないと、Bから乙を譲り受けたCに対して通行地役権を対抗することができず、Cから通行地役権の存在を否定されれば、Aは乙を通行できなくなる。

しかし、仮に設例のAが乙の上に通路を開設し、日常的にその通路を通行している場合には、Bから乙を譲り受けようとするCも、Aが何らかの権利に基づいて乙を通行していることを認識するか、認識することができるはずである。それにもかかわらず、通行地役権が登記されていないという理由で、Aが通行地役権をCに対抗できないとして通行を否定されるのは妥当でない。そこで、判例は、一定の要件を満たす場合にはCが177条の「第三者」に当たらないと解することによって、Aが登記をしていなくても、通行地役権をCに対抗することができるとしている（→69-70頁）。

3 地役権の効力

(1) 承役地使用権

地役権者は、設定契約で定められた目的または時効取得の基礎となった占有の態様に従って、承役地を使用することができる。その際、地役権が土地利用の調整の制度であることから、地役権者の使用は、地役権の目的を達成するのに必要であり、かつ承役地所有者に最も損害の少ない範囲に限られると解されている（211条1項参照）。285条および288条は、以上の解釈を具体化した規定であると捉えられる。

(2) 地役権に基づく物権的請求権

地役権は物権であるから、地役権者は、地役権に基づき、その侵害に対して直接に物権的請求権を行使することができる。ただし、地役権は承役地を占有すべき権能を含まないため、返還請求権は認められないのが原則である。設例において、たとえば、Eが乙に障害物を置いてAの通行を妨害している場合には、Aは、通行地役権に基づく妨害排除請求権を行使して、Eに対し、通行妨害行為の禁止を請求することができるが、返還請求権を行使することはできない。

(3) 対価の支払

設例において、AB間でAがBに通行の対価として通行料を支払う旨の合意をした場合には、AはBに対して対価支払義務を負う。

(4) 承役地所有者の義務

承役地所有者は、地役権の目的に従い、地役権者の行為を忍容する義務（たとえば地役権者の通行を忍容すること）や、一定の行為をしない義務（たとえば要役地からの観望を妨げる建築をしないこと）を負う。

さらに、設定契約またはその後の契約により、承役地所有者に一定の積極的な行為（たとえば通路の開設・整備など）をする義務を付随的に負わせることもできる（286条参照）。

4 地役権の消滅

物権一般の消滅原因のほか、存続期間の満了、287条の規定により消滅する。なお、時効による地役権の消滅については、時効のルールに関する特則が定められている（289条～291条・293条）。

Ⅲ 入会権

1 入会権の意義

入会権は、一定の地域の住民集団（入会団体と呼ばれる）が慣習に基づいて山林や原野など（入会地と呼ばれる）を共同で使用収益する権利である。民法制定以前から続いてきた慣習を基盤として成立する点に特徴がある。

民法は、このような入会権を民法の体系に位置づけるに当たり、入会地の所有関係に応じて2つの態様に区別している。

第1は、共有の性質を有する入会権である（263条）。これは、入会団体が入会地を所有している場合である。もっとも、入会団体は法人格を有しないことから、入会地は入会団体の構成員（入会権者と呼ばれる）の総有に属すると構成され、共同所有の一形態として位置づけられている（→161頁）。

第2は、共有の性質を有しない入会権である（294条）。これは、第三者（国や地方公共団体であることが多い）が入会地を所有し、入会団体はその入会地に用益権能を有している場合である。この入会権は用益物権として位置づけられている。

いずれの入会権も、具体的なルールは慣習に従うほか、共有の性質を有する入会権には共有の規定が適用され（263条）、共有の性質を有しない入会権には地役権の規定が準用される（294条）。しかし、入会権は慣習に基づいて成立する権利であり、慣習や入会団体の規約によって規律されているため、民法の規定が適用ないし準用されることはほとんどない。

入会権の現在

今日の入会権では、入会団体が山林や原野等の入会地を現実には使用収益しておらず、むしろ他人に使用収益させた上で、入会団体はその他人から対価を収受して構成員に分配する形態などに変化している例がよく見られる。また、慣習の消滅や「入会林野等に係る権利関係の近代化の助長に関する法律」に基づく措置により、入会権自体が消滅しつつあるといわれている。しかし他方で、地域住民が入会権を根拠として入会地の乱開発の停止を請求するなど、入会権の環境保全的な機能にも注目が集まっている。

2　入会権者の使用収益権

入会権者は、薪炭用の雑木や肥料用の草を採取するなどのために、入会地を共同して使用収益することができる。入会権者の使用収益の具体的な方法は、慣習と入会団体の規約等によって決まる。

なお、共有の性質を有する入会権の場合には、入会権者が入会地を共同で所有しているが、入会権者は入会地に自己の持分を有さず、その結果、持分処分の自由も分割請求も認められないと解されている（総有と呼ばれる→161頁）。

3　入会権の公示

入会権自体は不動産登記の対象とならない（不登３条参照）。他方で、公示がなくても第三者に対抗できるという慣習があり、また、入会権者が入会地を共同で使用収益することによって入会権の存在は現実に公示されているなどの理由から、入会権の取得等は公示がなくても第三者に対抗することができると解されている。

共有の性質を有する入会権の場合には、入会地が入会権者の総有に属するにもかかわらず、入会地の所有権が入会権者の一部の者や代表者の個人名義で登記されていることが多い。この場合に、その登記を信頼して入会地を譲り受けた者は、94条２項の適用や類推適用（→74-77頁）によって入会地の所有権を取得することはできない。入会団体は権利能力を持たず、入会団体の名義での登記ができない以上、入会団体が上記のような登記をしたとしても、それにつき仮装譲渡やこれと同視すべき事情があったとはいえず、94条２項の適用ないし類推適用の基礎が欠けるからである（最判昭和57・７・１民集36巻６号891頁）。

4　入会権の対外的主張

入会権者は、使用収益権の確認請求や使用収益権に対する妨害の排除請求など、自己の使用収益権に基づく請求を単独ですることができる。使用収益権は、入会団体の統制に服するとはいえ、構成員たる資格に基づいて各入会権者に個別的に認められた権能だからである。

これに対して、入会権自体の確認を求めたり、入会権自体に基づいて入会地に関する無効な登記の抹消登記手続を請求することは、入会権全体にかかわるゆえに、原則として入会権者全員が共同して行わなければならないと解されている。

事項索引

さ

た

な

は

ま

や

ら

●著者紹介

秋山靖浩（あきやま・やすひろ）
早稲田大学法学学術院教授
早稲田大学大学院法学研究科博士後期課程単位取得退学（2000年）
[第1章・第2章・第9章]

『不動産法入門』（日本評論社、2011年）
『LEGAL QUEST 民法Ⅱ物権〔第4版〕』（共著、有斐閣、2022年）など

伊藤栄寿（いとう・ひでとし）
法政大学法学部教授
名古屋大学大学院法学研究科博士課程単位取得退学（2006年）、博士（法学）
[第7章・第8章]

『所有法と団体法の交錯——区分所有者に対する団体的拘束の根拠と限界』（成文堂、2011年）
『ケースで考える債権法改正』（共著、有斐閣、2021年）など

大場浩之（おおば・ひろゆき）
早稲田大学法学学術院教授
早稲田大学大学院法学研究科博士後期課程研究指導終了（2007年）、博士（法学）
[第4章]

『不動産公示制度論』（成文堂、2010年）
『物権変動の法的構造』（成文堂、2019年）など

水津太郎（すいづ・たろう）
東京大学大学院法学政治学研究科教授
慶應義塾大学大学院法学研究科後期博士課程単位取得退学（2006年）
[第3章・第5章・第6章]

『民法2物権　判例30！』（共著、有斐閣、2017年）
『物権法の現代的課題と改正提案』（共著、成文堂、2021年）など

日本評論社ベーシック・シリーズ＝NBS

物権法［第3版］
（ぶっけんほう）

2015年7月20日第1版第1刷発行
2019年1月15日第2版第1刷発行
2022年3月30日第3版第1刷発行
2025年4月10日第3版第4刷発行

著　者———秋山靖浩・伊藤栄寿・大場浩之・水津太郎
発行所———株式会社　日本評論社
〒170-8474　東京都豊島区南大塚3-12-4
電　話———03-3987-8621（販売）
振　替———00100-3-16
印　刷———精文堂印刷株式会社
製　本———株式会社難波製本
装　幀———図エファイブ

検印省略

ISBN 978-4-535-80696-2